# LA SECONDE MERE

# MERE

## Henry Gréville

# I

Pendant que Jaffé se glissait derrière lui, Richard Brice rassembla les rênes de ses trotteurs. Le train qu'il venait de quitter s'ébranla et s'en alla à toute vitesse en lançant à coups rapides de petites bouffées de vapeur, dans la direction opposée à celle que prenait le phaéton. Les volutes élégantes s'accrochaient aux basses branches des peupliers ; on eût dit que, dans la tiède pesanteur de cette journée, il leur était impossible de s'élever plus haut ; et elles y restaient longtemps, comme embarrassées de disparaître sans attirer l'attention.

Les trotteurs avaient pris une belle allure sur la route sinueuse, une vraie route de France, élastique et ferme, avec juste assez de pentes pour donner de la variété au paysage ; un paysage tout vert, extrêmement vert, tel qu'on n'en peut voir qu'après de longues pluies d'été. Il se déroulait aimablement, tantôt à gauche, tantôt à droite, mais toujours borné d'un côté par un pan de colline, où, pour ouvrir la route, la mine avait fait une blessure toute fraîche dans le grès couleur de rouille.

La pluie avait cessé ; il restait cependant tant d'humidité dans l'air, que les gouttelettes s'amassaient comme un réseau serré de fines perles sur le nickel des harnais. Une sorte d'oppression délicieuse coupait légèrement la respiration ; il était à la fois très doux et un peu difficile de vivre dans cette atmosphère saturée d'eau. Le ciel était gris, sans horizon, et cependant, sous l'herbe vigoureuse, dans les pousses audacieuses des peupliers et des ormes, courait une ardeur de vie communicative ; la sève d'août montait de toutes parts.

La pente s'était accentuée ; les chevaux ne songeaient point à ralentir leur allure pourtant ; mais, tout distrait qu'il fut, Richard Brice y pensa pour eux ; après les avoir mis au pas, il se pencha un peu en arrière.

– Jaffé, dit-il, comment va ma mère ?

Jaffé s'inclina légèrement, de façon à se trouver presque face à face avec son maître.

– Madame va bien, répondit-il d'un ton à la fois familier et respectueux, comme un ancien serviteur sûr de sa situation ;

seulement, ce matin, quand elle a reçu la lettre de monsieur, elle était un peu...

– Un peu quoi ? fit Brice avec une nuance de brusquerie.

– Un peu... je ne sais pas comment m'exprimer en conservant le respect que je dois à monsieur et à madame...

– Parle donc ! tu chercheras tes mots une autre fois !

– Madame était, puisque monsieur l'exige, un peu pas comme à l'ordinaire. Monsieur a donc écrit quelque chose qui n'a pas convenu à madame ?

L'honnête figure de Jaffé exprimait une anxiété si comique, que Brice ne put s'empêcher de sourire.

– Oui, Jaffé, répondit-il avec un demi-sourire, ce que je lui écrivais n'était pas de nature à lui plaire... quoique vraiment...

La route redescendait ; Brice serra le frein, reprit son fouet et regarda les oreilles de ses chevaux. Après avoir attendu encore deux ou trois secondes dans la même attitude respectueuse, Jaffé se remit en position, les bras croisés.

Il y avait juste quarante ans que Jaffé avait vu le jour aux Pignons, sur les terres de la famille Brice ; à peine dans sa septième année, il avait pris par la main M. Richard, comme on l'appelait, dont les trois ans pleins de turbulence déjouaient déjà la surveillance des bonnes. Jaffé était devenu le gardien du jeune maître, à l'âge où les enfants riches sont encore gardés eux-mêmes jalousement.

Les ans avaient passé ; de camarade protecteur, Jaffé était devenu groom, puis valet de pied, mais on n'avait jamais pu le styler pour la ville ; ce fils de jardinier demeurait paysan en dépit de toutes les culottes courtes du monde : force avait été de le réintégrer dans la petite livrée et de le garder aux Pignons. D'ailleurs, sans Jaffé, personne ne pouvait bien se représenter les Pignons. Si Jaffé n'était presque pas un domestique de grande maison, les Pignons n'étaient presque pas non plus un château ; c'était une demeure ancienne, de noble apparence, mais absolument dénuée de prestige féodal. Au fond, Richard Brice n'en aimait que mieux l'un et l'autre ; cela le reposait de Paris.

On voyait tout près, au haut d'une verte colline, le manoir, original assemblage de tourelles et de corps de bâtiments, construits sans plan déterminé, suivant les besoins des générations successives ; au sein de ce riant paysage de Bourgogne, il avait un air franchement bourguignon : jovial sans trivialité, riche sans ostentation, solide et bien bâti sans lourdeur... Du plus loin qu'il vit les poivrières, Brice leur adressa un sourire.

– Jaffé, dit-il, comme si ce sourire en eût éveillé un autre au fond de sa pensée, comment va mon fils ?

– Ah ! le mâtin, qu'il est beau ! s'écria Jaffé, oubliant dans son enthousiasme toute formule conventionnelle. Qu'il est beau et qu'il est fort ! Hier, il m'a donné un coup de poing dans le dos ! j'ai cru que j'allais tomber à quatre pattes. C'était pour jouer, vous savez, monsieur... aussi, j'étais à genoux à lui raccommoder son cheval, c'était trop tentant !

– As-tu des nouvelles de la Rouveraye ? Comment va ma fille ?

– La mignonne ! J'y ai été avant-hier ; elle va tant bien qu'elle peut, le trésor ! c'est un charme. Il n'y a rien de plus joli ni de plus aimable au monde.

La bouche de Jaffé s'était élargie jusqu'à ses oreilles rouges, et tout son visage n'était que jubilation. Au son ému de sa voix, Brice s'était retourné.

– Tu aurais dû te marier, dit-il à son fidèle serviteur. Tu étais fait pour être père de famille.

– Eh ! monsieur, répondit le domestique en sautant à terre pour ouvrir la grille du parc, si j'avais eu des enfants, ça m'aurait peut-être empêché d'aimer les vôtres !

Il regrimpa en achevant sa phrase, et cinq minutes plus tard Brice, lui jetant les rênes, gravit légèrement les marches du perron.

– Dire qu'il n'a que trente-six ans ! pensa le brave homme en suivant son maître des yeux ; qu'il n'a que trente-six ans, que j'en ai déjà quarante, et que moi, j'ai le bonheur d'être garçon, tandis que lui, le voilà déjà veuf, avec deux enfants, encore ! Et la petite mignonne qui sait à peine dire « Papa... », et qui n'aura jamais besoin de dire : « Maman ! »

– Enfin, te voilà ! fit Mme Brice en accourant au-devant de son fils. Pendant qu'il l'embrassait, elle l'accablait de questions. C'était une petite femme mince et vive, toujours élégante sous ses jolis cheveux jadis blonds, aujourd'hui presque tout à fait blancs, mais délicieusement fins, qui faisaient à son visage une auréole de mousse frisée. C'était le mouvement incarné, et son énergie, singulière dans ce petit corps frêle, au lieu de diminuer, semblait s'accroître avec l'âge.

– Où est mon fils ? dit Richard lorsqu'il put parler.

– Dans la salle à manger ; tu le verras tout à l'heure. D'abord, dis-moi, ce n'est pas sérieux, ce projet ? Je t'avertis que si c'est une plaisanterie, je la trouve d'un goût déplorable ; si c'est sérieux, je...

– Ma chère mère, interrompit Richard avec un rire contraint, faites-moi embrasser Edme et donnez-moi à déjeuner, je vous en supplie ! Nous causerons ensuite.

Mme Brice devint soudain très grave ; elle connaissait son fils et savait qu'il ne faisait jamais que ce qu'il voulait ; sans lui répondre, elle sonna, donna l'ordre de servir et passa avec lui dans la salle à manger.

Dès qu'Edme aperçut son père, il courut à lui et voulut grimper à ses jambes. C'était un bel enfant de six ans et demi, robuste et hardi, l'air à la fois naïf et effronté, comme les garçons qui n'ignorent pas leur pouvoir sur les femmes qui les entourent, déjà hommes sur ce point, et conscients de leur toute-puissance.

Jaffé apparut bientôt ; d'une main sûre et ferme, il installa Edme sur sa chaise haute et lui noua une serviette sous le menton ; Brice s'aperçut aussitôt que son fils respectait beaucoup plus le domestique que sa grand-mère, et il ne put s'empêcher de sourire intérieurement.

L'autoritaire Mme Brice, qui avait mené haut la main les études de Richard, trop tôt privé de son père, avait-elle trouvé son maître dans ce beau petit garçon blond, aux yeux gris de fer, si pareil à ce qu'était Richard lui-même à son âge ? Jeune toujours, malgré les cheveux gris qui, sur ses tempes, se mêlaient à ses belles boucles blondes, Richard Brice, l'honneur du barreau de Paris, riche et député, ne put s'empêcher de s'amuser, comme un écolier en rupture de classe, à la pensée que sa sévère maman était régentée à son tour par ce despote en chaussettes courtes. Cela dura aussi peu qu'un éclair, mais ce fut une revanche délicieuse.

Le déjeuner fut rapide. Jaffé lui-même semblait deviner qu'on avait hâte d'en finir ; Edme, un peu calmé par la présence de son père, était d'une sagesse rare et ne fit que deux ou trois sottises ; à l'heure des fraises, cependant, le pot à crème courut de tels périls entre ses mains vigoureuses et résistantes, que Mme Brice, après deux ou trois sommations sans effet, jugea prudent de lever le siège. Richard, dans la porte, jeta un dernier coup d'œil sur l'héritier de son nom, et vit que l'ordre allait renaître, grâce à l'imperturbable et irrésistible bonne humeur de Jaffé. Les fraises, inondées de crème, disparaissaient par poignées dans la bouche du petit héros, mais le sucrier et l'assiette de fruits, aussi bien que le pot à crème, étaient rangés sur le dressoir, hors de portée. Sur ce tableau enchanteur la porte se referma.

– Il est pourtant vraiment gâté ! dit Richard Brice avec une extrême douceur.

– Gâté ! s'écria la grand-mère, je te conseille d'en parler ; je le gâte cent fois moins que tu ne le faisais toi-même !

Brice soupira.

– Peut-être ! dit-il avec mélancolie ; mais quand on supporte ces choses-là soi-même, on ne s'en aperçoit pas. Et puis, chez nous, les derniers temps, on lui laissait faire un peu ce qu'il voulait... J'avais si peur de contrarier ma pauvre Madeleine...

– Madeleine... ah ! oui, parlons-en ! fit Mme Brice en se tournant vers son fils avec un mouvement emporté. C'est donc vrai ? tu veux te remarier ?

Elle attendit à peine la réponse, et repartit aussitôt :

– C'est abominable ! tu es veuf à peine depuis dix-huit mois, et tu veux te remarier ! Je ne voulais pas en croire ta lettre... Je me disais : C'est impossible, c'est quelque fantaisie absurde... Et c'est vrai ? C'est monstrueux ! Mais parle donc !

Elle se jeta dans un fauteuil d'un air exaspéré. Richard se tenait debout devant elle, appuyé d'une main au dossier d'une chaise ; sa haute taille semblait se hausser encore de toute la dignité de son attitude. Malgré son irritation, sa mère ne put s'empêcher de convenir en elle-même qu'il était vraiment superbe : ses yeux profonds, gris de fer, semblaient se creuser ; ses lèvres éloquentes, qui tremblaient un peu, formulèrent enfin des paroles.

– Oui, ma mère, dit-il, je veux me remarier. Je comprends que cela vous paraisse étrange, peut-être blâmable, mais cela *est*. C'est un fait, et il faut traiter cela comme un fait.

Elle voulut l'interrompre, un geste à la fois très respectueux et très ferme la contraignit au silence. Il parlait, appuyé d'une main, comme il l'eût fait au barreau, et, en effet, il plaidait, pour ses autels et ses foyers, de toute son âme, avec cette éloquente simplicité qui était sa force, car elle jaillissait de son intelligence et de son cœur.

– Ma mère, dit-il, écoutez-moi. Vous savez quelle a été ma jeunesse ; vous savez qu'élevé par vous, j'avais appris à me respecter moi-même autant qu'à respecter le nom de mon père ; vous savez par conséquent que j'ai banni de ma vie tout ce qui aurait pu sembler répréhensible. Vous m'aviez inspiré la grande idée de la famille, avec ses devoirs et ses joies ; c'est pour ces devoirs et ces joies que j'ai vécu ! D'autres mères laissent à leurs fils le soin de se choisir une épouse, vous avez agi différemment.

– M'en blâmes-tu ? interrompit vivement Mme Brice.

– Loin de là ; je vous ai toujours remerciée, ma mère, répondit Richard avec un éclair de tendresse dans ses beaux yeux sombres. Mais il n'en est pas moins vrai que, lors de mon mariage, je n'ai pas eu toute la liberté de choix qu'ont la plupart des autres hommes.

– Le mariage que j'avais préparé pour toi était le plus beau qui se pût rêver, interrompit encore Mme Brice ; tout s'y trouvait : la fortune, les alliances, la beauté, l'esprit, la bonté...

– Tout s'y trouvait en effet, ma mère, reprit Richard gravement ; tout, excepté l'amour.

Mme Brice, d'un brusque mouvement, tendit son visage incrédule vers son fils.

– Excepté l'amour, répéta Richard de la même voix grave et mélancolique. Madeleine avait toutes les vertus, tous les dons... je n'ai jamais pu l'aimer. Ce n'est pas ma faute.

– Elle t'aimait ! jeta Mme Brice dans un sanglot, puis elle ensevelit son visage dans ses mains, au souvenir de la belle-fille qu'elle avait tant aimée.

– Elle m'aimait, dit Richard, et c'est pour cela que jamais, jamais, – entendez-vous, ma mère ? – depuis le jour où vous avez demandé sa main pour moi, jusqu'au moment où je lui ai fermé les yeux, jamais la chère femme n'a pu soupçonner que je n'avais pas pour elle autant d'amour qu'elle en avait pour moi.

Mme Brice attacha sur son fils un regard plein de questions muettes.

– Elle est morte heureuse, continua Richard, dans l'illusion du premier jour, et cependant, ma mère, nous avions été mariés dix ans ! Pendant ces dix années, vous me croirez sans que je vous en fasse le serment, je n'ai permis à aucune tentation d'approcher de moi. Plus d'une fois, dans le monde ou hors du monde, j'ai rencontré des femmes moins parfaites que Madeleine, mais qui pour moi revêtaient un charme qu'elle n'avait pas... Je ne me suis jamais permis de penser à elles, pas une minute, pas une seconde... Je savais que je n'aimerais jamais ma femme, mais je m'étais juré de n'en point aimer une autre.

– Pourquoi ne l'aimais-tu pas ? fit Mme Brice avec une sorte de colère.

– Sait-on pourquoi l'on aime ? Ce n'était ni sa faute ni la mienne. Peut-être parce que je l'avais connue enfant, parce que nous étions cousins, bien que sans parenté très proche ; peut-être aussi, – il s'arrêta un instant, puis reprit à voix plus basse, – peut-être parce que l'amour qu'elle avait pour moi était trop discret, trop concentré, trop silencieux...

– C'était de la dignité, dit Mme Brice.

– Sans doute... je suis seul coupable de n'avoir pas pu partager cette noble tendresse, et la mémoire de Madeleine me sera toujours chère.

Il se tut et sembla revivre en lui-même les jours passés, parfois amers, bien que lui seul eût connu leur amertume.

– Enfin, ma mère, reprit-il, lorsqu'elle est morte, vous savez si je l'ai sincèrement pleurée ; elle avait été mon amie, et elle m'avait donné deux enfants...

– N'est-ce pas assez pour ton bonheur ? fit Mme Brice avec quelque rudesse.

Son fils la regarda bien en face.

– J'avais juré de ne pas aimer une autre femme, répondit-il, mais la mort m'a délié de mon serment. J'ai trente-six ans, ma mère ; ma vie promet d'être longue, elle sera belle, je l'espère. J'aime, à présent, pour la première fois de ma vie ; j'aime, et je veux être heureux !

Il s'était transfiguré en parlant. Une jeunesse nouvelle semblait baigner ses tempes fraîches et ses belles boucles blondes. Si mécontente qu'elle fût, sa mère, en vraie mère qu'elle était, ne put s'empêcher d'admirer la beauté et l'éloquence de son fils. Mais elle revint sur-le-champ aux questions qui la préoccupaient.

– Et tes enfants, dit-elle, tu veux leur donner une belle-mère ?

– Une seconde mère, répliqua Richard ; c'est bien différent.

– Le nom ne fait rien à la chose, reprit vivement Mme Brice. C'est une belle-mère que tu veux leur donner ; tu n'as donc pas le sentiment de tes devoirs envers eux ?

– La femme que je veux épouser m'aime assez pour aimer mes enfants, dit Brice avec orgueil.

– Tu le crois !

Mme Brice se leva et parcourut le salon pendant quelques instants, d'un air préoccupé ; puis elle ouvrit tout à coup la porte-fenêtre qui donnait sur le perron.

– Regarde ton fils, dit-elle, tu aurais le cœur de le savoir malheureux ?

Edme, en ce moment, promenait au bout d'une longe Jaffé, converti en poulain ; il faisait claquer son petit fouet avec une adresse peu commune à son âge, et le bon serviteur ne manquait pas d'exécuter, à chaque fois, une ruade qui jetait l'enfant dans une joie folle. Brice ne put s'empêcher de rire.

– Si vous voulez que je croie au malheur de mon petit garçon, dit-il, je vous en prie, ma mère, refermez cette porte...

Mme Brice se retourna brusquement vers lui.

– Raillez votre mère, à présent ! fit-elle d'une voix où la colère luttait avec les larmes ; n'est-il pas étonnant, en vérité, que j'aime votre enfant plus que vous ne l'aimez vous-même ?

Elle fondit en pleurs et se jeta sur un canapé. Richard vint s'asseoir près d'elle, si près qu'il se trouva presque à genoux, et lui prit les deux mains qu'il emprisonna dans les siennes.

– Ma mère chérie, lui dit-il, vous êtes la plus adorable des grand-mères, comme vous avez été la meilleure des mères, et je vous aime de tout mon cœur, même quand vous êtes pour moi passablement dure et un peu injuste.

Elle voulut retirer ses mains, mais il les tenait bien.

– Un peu injuste, répéta-t-il. Ne comprenez-vous pas que ma vie est très occupée, très austère, souvent triste ; que le barreau est une profession où l'on devient aisément misanthrope, à force de voir les mauvais côtés de la nature humaine ; que la politique est toujours pénible, souvent écœurante, et que j'ai besoin d'avoir dans ma maison une belle fleur épanouie, comme vous en avez sans cesse près de vous, dans un vase, pour reposer ma vue et mon cœur ? Voudriez-vous vraiment me condamner à rentrer toujours seul dans un logis toujours désert ? à ne jamais voir que des visages d'hommes autour de ma table, à vivre seul, ma mère aimée, et à mourir seul ?...

– Tu as tes enfants ! répliqua opiniâtrement la grand-mère.

– Pardon, fit Brice en souriant, c'est Mme de la Rouveraye et vous qui les avez. Si vous voulez me les rendre...

– Pour cela non ! Tu n'y penses pas ! Un enfant de cinq ans, un bébé de vingt-deux mois ! Eh ! mon Dieu ! qu'en ferais-tu ?

– Vous voyez bien ! reprit Brice en lui baisant alternativement les deux mains ; alors, laissez-moi épouser la charmante fille qui consent à s'embarrasser d'un veuf et de ses enfants !

– S'embarrasser de toi ? s'écria Mme Brice, je voudrais bien savoir quelle femme serait assez sotte pour ne pas s'estimer heureuse de t'épouser !

– M'épouser, moi... et mes deux enfants, insista Richard.

– Et tes deux enfants, naturellement ! Faudrait-il pas les tuer ? D'ailleurs, continua-t-elle entre ses dents, j'ai idée que ces enfants-là ne la gêneront pas beaucoup !

– Vous dites, ma mère chérie ?

– Rien, monsieur mon fils, – rien qui vous regarde, pour le présent du moins. Et comment s'appelle-t-elle, cette jeune personne que vous prétendez qui vous aime ? Est-ce quelqu'un du monde, tout au moins ?

– Vous n'en doutez pas, ma mère. C'est Mlle Odile Montaubray.

– Montaubray de la Creuse ?

– Précisément.

– Ah !

Dans cette simple exclamation, Mme Brice fit entrer tout un monde de pensées. Il y avait de la surprise, du respect, un certain désappointement de sentir l'impossibilité de lutter davantage, mêlé à l'orgueil inévitable que devait inspirer une telle alliance. Épouser la fille du député de la Creuse, c'était faire un de ces mariages princiers comme on n'en rencontre ailleurs que chez les princes ; c'était s'unir à l'une des familles de France les plus noblement riches, les plus universellement considérées. Certes, les Brice étaient au haut de l'échelle, dans cette belle et bonne bourgeoisie dont ils s'honoraient de faire partie ; mais au-dessus d'eux, il y avait les Montaubray, et Mme Brice elle-même ne pouvait s'empêcher de le reconnaître. Richard gardait le silence, devinant et suivant les pensées de sa mère.

– Enfin, reprit-elle, s'arrachant à ses satisfactions vaniteuses, si flatteuse que soit cette alliance, le fait n'en reste pas moins le même : tu veux te remarier, égoïstement, sans souci de tes enfants ?

– J'en ai grand souci, ma mère, et c'est précisément parce qu'ils me sont si chers que je ne veux pas en vivre toujours séparé, comme cela ne manquerait pas si je restais veuf.

Les yeux vifs et perçants de la grand-mère lancèrent une flamme ; elle ne dit rien, mais elle serra les lèvres, et son fils, qui la connaissait bien, comprit qu'elle lui répondait intérieurement :

– Donner mon petit-fils à Mlle Montaubray ? Jamais !

– Il faudra bien qu'un jour Edme entre au lycée, reprit Richard avec une douceur extrême, où Mme Brice lut une volonté aussi indomptable que la sienne : ce jour-là, il lui faudra un intérieur à Paris pour s'y reposer, pour s'y retremper dans la vie de famille...

– Alors, interrompit sèchement Mme Brice, j'habiterai Paris en hiver, et Mme de la Rouveraye fera de même pour Yveline.

Richard se mordit les lèvres. Elles avaient arrangé leur vie, les deux grand-mères, d'accord ensemble pour lui prendre ses enfants ! Chacune s'était adjugé celui que les circonstances semblaient lui accorder plus particulièrement, et lui, le veuf, le père, non seulement on lui refusait leur présence, mais encore on ne lui permettait pas de se remarier ! Quel impitoyable égoïsme ! Il frémit tout entier d'indignation contenue.

– Il me semble, ma mère, dit-il, qu'en tout cela, on me compte pour bien peu de chose !

Mme Brice le regarda d'un air presque méchant.

– Tant pis pour vous, mon fils, dit-elle ; c'est un malheur que vous ayez perdu votre femme ; mais puisque vous ne l'aimiez pas, la perte doit vous paraître moins sensible...

– Ma mère ! s'écria Richard, froissé dans ses sentiments les plus délicats.

– Libre à vous d'épouser une seconde femme, puisqu'elle consent à vous prendre, comme vous le dites, mais sachez qu'elle n'aura point à « s'embarrasser » de vos deux enfants. Si vous aviez respecté votre veuvage, Mme de la Rouveraye et moi, nous aurions pu faire le sacrifice de vous les rendre plus tard ; mais marié, vous n'avez plus même l'ombre d'un prétexte pour nous les réclamer.

– Voyons, ma mère, vous n'y pensez pas... commençait Richard, qui avait repris son empire sur lui-même et qui s'apprêtait à lutter encore ; elle ne le laissa point parler.

– Si vous aimez les enfants, votre seconde femme vous en donnera, reprit-elle, et ceux-là, vous pouvez être assuré que nous ne vous les disputerons point : ma bru Madeleine était la fille de mon choix, je l'aimais aussi tendrement que si je l'avais mise au monde ; les enfants que vous avez eus d'elle sont deux fois mes enfants, et véritablement, au peu de cas que vous en faites, je vous déclare qu'ils sont plus les miens que les vôtres ! Demandez à Mme de la Rouveraye si elle veut vous rendre Yveline ; pour moi, je vous l'affirme, jamais Edme n'habitera la maison où vous aurez introduit une marâtre.

Richard s'inclina devant sa mère, qui s'était arrêtée court, effrayée par l'étrange son du mot qu'elle venait de prononcer.

– Ceci met fin à notre entretien, dit-il, ma mère. Je n'ai plus qu'à vous quitter.

– Où allez-vous ? fit Mme Brice en se jetant instinctivement entre lui et la porte.

– Chez Mme de la Rouveraye, lui annoncer mon mariage, comme je viens de le faire pour vous.

Mme Brice serra ses deux mains très fort l'une contre l'autre et voulut parler, mais ses lèvres n'articulèrent aucun mot.

– Au revoir, ma mère, reprit Richard, très pâle, et détournant les yeux ; – je pense que vous ne voudrez pas assister à mon mariage ?...

Mme Brice lui prit violemment les mains et l'entraîna vers le canapé, où elle se laissa tomber ; il resta debout, quoiqu'elle lui fît place auprès d'elle, n'essayant pas de se dégager, mais ne répondant pas à son étreinte.

– Tu l'aimes donc bien, cette femme ? lui dit-elle en le regardant presque avec prière.

– Je l'aime, répliqua Richard lentement, les yeux fixés dans ceux de sa mère ; je l'aime et je la respecte ; elle est bonne, elle est grande, elle est généreuse. Ah ! ma mère, si vous saviez ce qu'elle est et ce qu'elle vaut, vous seriez la première à l'adorer !

Mme Brice lâcha les mains de son fils.

– Voilà les hommes ! dit-elle avec amertume ; ils sont tous les mêmes ! Vienne un joli visage, et tout est oublié.

– Mère, dit Richard, avec une inflexion caressante, qui le fit ressembler à son fils, voilà les femmes ! Le préjugé est leur maître, et elles ne veulent pas voir, même quand on leur tiendrait les yeux ouverts de force.

Mme Brice poussa un soupir et resta un instant silencieuse.

– Enfin, dit-elle, tu veux épouser Mlle Montaubray ; évidemment, aux yeux du monde, mon refus serait absurde, et il faut que je te donne mon consentement.

Richard allait parler, elle l'arrêta.

– Ne me remercie pas, fit-elle avec vivacité. Je te donne mon consentement, parce que la famille Montaubray est absolument honorable, et que je suis contrainte de reconnaître que c'est nous qui devons être flattés de l'alliance. De même, j'assisterai à ton mariage, et j'aurai toujours avec ta femme les relations que commandent les bienséances. Mais sache-le bien, jamais elle n'aura Edme ; elle ne saurait remplacer pour lui la mère qu'il a perdue. Dis-lui bien d'avance, afin qu'elle le sache, que toute prière, toute insistance serait inutile et ne servirait qu'à rendre les rapports plus tendus et plus pénibles entre nous. Tu me connais, tu sais que je ne me dépense point en vaines paroles ; c'est dit.

Il la regardait, avec une arrière-pensée dans les yeux ; elle le comprit.

– Oui, je sais, la loi est de ton côté ; tu peux me sommer de te rendre ton fils. Fais-le, – et nous ne nous reverrons jamais.

– Oh ! ma mère ! dit-il, blessé jusqu'au fond de l'âme, vous avez la main cruelle aujourd'hui !

– Je souffre, dit-elle simplement. Allons, embrasse-moi, et puisque tu veux te remarier, sois heureux avec ta seconde femme.

Il restait muet et immobile, brisé. Elle lui prit la main avec douceur.

– Vois-tu, Richard, dit-elle, quand je suis restée veuve, si quelqu'un m'avait parlé de me remarier, je crois que je l'aurais souffleté...

– Et si quelqu'un vous avait pris votre fils, vous l'auriez tué, fit Richard.

– Assurément ! s'écria-t-elle avec emportement. Mais je suis mère, et une mère, c'est tout autre chose qu'un père.

Il sourit malgré lui.

– Une grand-mère est deux fois mère, reprit-elle avec un faible sourire. Embrasse-moi donc !

Il pencha sa haute taille élégante et toucha de ses lèvres le front de sa mère ; elle lui jeta les bras autour du cou en retenant ses larmes.

– Ah ! mon fils ! dit-elle en se serrant contre lui, tu m'as fait bien du mal, bien de la peine !...

Elle pleurait, il la prit dans ses bras, ému de pitié, de tendresse douloureuse.

– C'est elle qui m'afflige, et c'est elle qui se trouve à plaindre, pensait-il. Pauvre, pauvre femme !

Il se rappela mille scènes de son enfance, où ce caractère entier, violent et tenace à la fois, lui avait causé des chagrins sans nombre. Et pourtant, comme il l'aimait, cette terrible mère, despote, injuste parfois, mais si noble, si généreuse, si dévouée aux grandes pensées, toujours si prompte aux grandes actions !

– Mère, lui dit-il, de sa voix caressante, avec le temps, tout s'arrangera ; vous verrez !

Elle se dégagea de ses bras.

– Non, dit-elle, pas de malentendu. Je ne céderai point ! N'y compte pas !

Il l'embrassa encore une fois en soupirant, et ils restèrent l'un devant l'autre, au milieu du vaste salon, comme des gens qui n'ont plus rien à se dire et qui ne peuvent encore se quitter. Richard retourna vers la porte-fenêtre et l'ouvrit.

Le soleil ne s'était point encore montré, mais on sentait sa présence dans le ciel, derrière les buées blanchâtres. Edme courait, suivi par Jaffé, très loin dans les allées sablées déjà sèches. À un détour, il aperçut son père et revint au galop.

– Je vais faire atteler, dit Richard, pendant que son fils accourait.

– Déjà ? fit sa mère.

Elle avait le cœur gros comme les femmes qui n'ont pas assez pleuré pendant une scène douloureuse. Elle eût aimé maintenant garder près d'elle son fils soumis, l'accabler de tendres reproches et pleurer longuement avec leurs mains unies. La tranquillité apparente de Richard, ce beau calme qu'elle avait tant admiré quand il le conservait vis-à-vis des autres, l'irritaient à présent. Il la devina, assez pour vouloir lui donner un peu de consolation. Edme arrivait, comme un ouragan.

– Va embrasser ta grand-mère, lui dit le père en le recevant dans ses jambes et après l'avoir caressé.

Le petit garçon se jeta à plein corps sur Mme Brice.

– Va embrasser ton père, fit celle-ci après l'avoir couvert de baisers.

Edme revint docilement, les cheveux dans les yeux, un peu calmé, et très essoufflé. Jaffé parut sur le perron.

– Fais atteler des chevaux frais, dit Richard. Nous allons à la Rouveraye.

– Oh ! papa, emmène-moi ! s'écria Edme en grimpant à son père comme à un mât de cocagne.

– Pourquoi pas ? dit la grand-mère, Jaffé le ramènerait.

– Soit, dit Brice.

Ils parlèrent de questions d'intérêt, de baux et de fermages jusqu'au moment du départ. La situation matérielle de Richard et celle de sa mère étaient parfaitement réglées d'avance, et un second mariage n'y pouvait rien changer. Aucune allusion ne fut plus faite de part ni d'autre à l'événement qui bouleversait leurs existences.

Le petit garçon reparut, soigneusement coiffé, élégant comme un prince de conte de fées dans son costume gris ; Jaffé le jucha près de son père sur le haut siège du phaéton.

– Pas de courroie, pas de courroie, je suis trop grand ! cria Edme en se débattant de toutes ses forces, au moment où Jaffé voulait l'attacher par la ceinture, afin d'éviter une chute encore plus probable que possible.

– Si tu ne veux pas de courroie, dit tranquillement Richard, il faut rester aux Pignons ; je ne veux pas courir le risque qu'il t'arrive un accident.

Edme allait répondre quelque chose ; le regard de son père l'arrêta. Il se tut, le cœur gonflé, et se laissa attacher. Jaffé monta derrière. Richard tenait déjà les guides.

– Au revoir, mon fils, dit Mme Brice qui, debout sur le perron, avait suivi cette petite scène avec une certaine inquiétude. Edme, sois bien sage !

L'enfant fit un signe de tête sans mot dire. Il avait l'air d'un bel animal sauvage, traqué par les chasseurs.

Ils partirent ; le petit garçon ne dit rien pendant un temps assez long ; il se sentait blessé dans sa dignité enfantine. La route était bonne, mais les chevaux étaient vifs, et Richard ne pensait peut-être pas toujours uniquement à son attelage. À un carrefour, ils tournèrent si brusquement que la voiture en ressentit une assez forte secousse, et l'enfant, qui rêvait, fut projeté en dehors du siège. Quoique Jaffé l'eût retenu par l'étoffe de sa blouse, sans la courroie Edme eût assurément roulé sur la route.

– Ah ! vois-tu ? fit le père tranquillement, lorsqu'il fut bien rassis. Si je t'avais écouté ?...

L'enfant avait eu peur, mais c'était un vaillant petit garçon, et il savait le prouver. Il n'avait pas crié, et maintenant il se tenait fort grave, la main gauche fermement attachée à la barre du siège. Il ne répondit rien à son père ; un instant après, il le tira doucement par la manche.

– Papa, dit-il, embrasse-moi. Et il tendit vers lui son petit visage honnête.

## II

La Rouveraye était distante d'une dizaine de kilomètres au plus ; la route délicieuse s'enfonçait à travers le bois jusqu'à la grille du parc. Au moment où le phaéton traversait le pont, un rayon de soleil illumina les fenêtres du château ; une surtout, en pleine lumière dorée, miroitait comme une glace. Richard reconnut la fenêtre du petit salon de sa femme, où il avait passé les dernières heures pénibles de l'agonie, alors que les deux mères qui entouraient la mourante ne lui permettaient plus de s'approcher, mais seulement de la regarder, debout dans la large baie. Était-ce parce que Madeleine avait trop appartenu à ces deux mères, que son mari n'avait jamais pu l'aimer autant qu'il l'eût voulu ?

Comme il se posait cette question, il arriva devant le château, qui semblait flamboyer en son honneur.

– Madame est au cimetière, dit le vieux valet de pied qui lui ouvrit la porte. Elle va revenir.

– Allons au-devant d'elle, dit Edme en tirant la main de son père pour redescendre le perron.

– Vas-y avec Jaffé, répondit Richard.

Le petit garçon partit à la hâte, et Brice entra dans la maison.

– Mlle Yveline va bien ? demanda-t-il au vieux domestique.

Sans attendre de réponse, il disparut, et monta l'escalier comme s'il n'avait eu que vingt-cinq ans. Arrivé au second, il poussa une porte et entra dans une vaste pièce, garnie d'un lit, d'un berceau et de quelques meubles ; tout cela avait cet air à la fois vide, vaste et habité qui appartient aux chambres de petits enfants.

– Bonjour, nounou, dit-il à la jeune femme qui s'était levée en l'entendant entrer ; puis il se dirigea rapidement vers le berceau.

La fillette dormait de ce calme sommeil d'après-midi, moins profond que celui de la nuit, moins affairé, pour ainsi dire ; elle dormait habillée à demi, ses bras et ses jambes nus, ses petits pieds chaussés de bas de laine seulement, les boucles de ses cheveux sur les yeux, les joues roses, avec une grâce enfantine qui n'excluait pas une sorte de dignité à la fois comique et touchante.

Le père se pencha sur elle et la regarda longuement.

C'était sa chérie, son trésor, la joie de ses yeux. Dès les premiers temps de son mariage, il avait souhaité une petite fille. Lorsque, après cinq années d'attente, il s'était enfin vu père, la venue de son fils n'avait satisfait qu'à moitié son désir. Enfin Yveline était née, et il s'était trouvé heureux ; les premiers gestes de l'enfant l'avaient transporté de joie, les premiers sons de sa voix lui avaient paru plus délicieux que toute musique... Au bout de quatre mois de ce bonheur, la jeune mère était morte, d'une fluxion de poitrine, en quelques jours, dans cette maison où ils étaient venus, comme tous les ans, pour quelques semaines ; la grand-mère, naturellement, avait gardé le petite fille, l'autre grand-mère avait demandé le petit garçon. Est-ce qu'un veuf pouvait s'occuper de ces petits ? La pensée seule en était absurde ! C'était du moins ce que disaient les grand-mères... et voilà pourquoi Richard Brice, seul, triste, privé de ses enfants, s'était laissé prendre le cœur par un grand amour, un amour qui serait le seul de sa vie, pour Mlle Odile Montaubray...

Il baisa doucement les petits poings fermés, qui frissonnèrent légèrement au contact de ses lèvres pourtant si prudentes ; puis il se releva, pour résister au besoin de dévorer de baisers les bras et le visage de la chérie, car il avait peur de la réveiller. Mais elle ouvrait déjà ses jolis yeux clairs, où le sommeil semblait avoir laissé une légère vapeur, et s'étirait avec une grâce exquise.

Le regard d'Yveline erra un instant sur les murs, sur la flèche de sa barcelonnette ; il s'arrêta ensuite devant elle, avec une expression d'abord indécise, puis joyeuse, et enfin, elle dit :

– Papa !

Richard l'enleva dans ses bras, tout fier qu'elle l'eût reconnu, depuis un mois qu'il ne l'avait vue.

– C'est qu'elle a tant d'esprit ! dit la nounou en la lui prenant des mains ; elle n'a que vingt-deux mois, et je vous assure qu'elle a plus de connaissance que bien des vieux !

Le père et la petite fille firent alors une de ces parties délicieuses que seuls peuvent comprendre ceux qui ont aimé leurs enfants. À quatre pattes sur le tapis, ils jouèrent et coururent l'un après l'autre, jusqu'à ce que Brice se souvint qu'il était venu accomplir un devoir désagréable auprès de sa belle-mère.

– Madame n'est pas encore rentrée ? dit-il en se remettant sur ses pieds, et en tirant ses habits pour leur donner une apparence correcte.

– La voici qui revient, répondit la nourrice en apportant une brosse. Edme parut sur le seuil, tenant la main de Mme de la Rouveraye, qu'il affectionnait.

La belle-mère de Richard était absolument l'opposé de sa mère ; autant l'une était vive et fluette, autant l'autre était grande et majestueuse ; lente dans ses mouvements et dans ses discours, peu prompte à manifester ses impressions ou ses sentiments, bonne et tendre, mais souvent méconnue, à cause de sa réserve, Mme de la Rouveraye avait plus d'affinité avec la nature de son petit-fils Edme qu'avec celle d'Yveline ; mais elle aimait si également les deux enfants, qu'elle ne se fût pas permis de manifester une préférence extérieure. C'était une femme très droite, et, de bonne heure, elle avait appris à se refuser tout ce qui n'était pas l'accomplissement du devoir dans toute sa sévérité. Il y avait d'ailleurs en elle un fonds de tristesse qui assombrissait sa vie, mais sans qu'elle en fît souffrir les autres. Elle aimait à être triste : c'était pour elle une jouissance mélancolique, à laquelle elle trouvait un charme exquis.

Après le premier échange de paroles, Edme fut laissé avec sa petite sœur, et Richard suivit sa belle-mère dans le petit salon. C'était une pièce de grandeur moyenne, tout intime, aux murs couverts de portraits ; on voyait que Mme de la Rouveraye y vivait constamment avec tous ses souvenirs. Une poupée assise sur une chaise basse témoignait qu'Yveline n'en était point exclue.

– Je crains, dit Brice lorsqu'ils se furent assis, que ma lettre ne vous ait causé du chagrin... il faudrait me le pardonner, ma chère maman...

Il disait à Mme Brice : « Ma mère », et à sa belle-mère : « Maman ». Il avait trouvé en celle-ci, qu'il avait d'ailleurs connue de tout temps, une tendresse latente, un besoin de caresses morales, qu'il était heureux de contenter par la douceur de son langage.

– J'ai eu du chagrin, répondit Mme de la Rouveraye, mais ce n'est pas votre faute, Richard, et je ne vous en veux point.

Un petit silence suivit ; elle leva sur son gendre ses beaux yeux noirs, battus et fatigués par tant de larmes, et ajouta lentement :

– Cela devait arriver.

– Quoi ! s'écria Brice, ému, vous pensez que...

Il n'osa achever, tant il lui semblait cruel de dire à cette mère qu'il voulait mettre une autre femme à la place de la fille qu'elle avait perdue.

– J'ai pensé que vous auriez idée de vous remarier, un jour ou l'autre, oui ; et je trouve que vous avez raison.

Très surpris, encore plus heureux, Richard prit la main de sa belle-mère et la baisa avec une affection profonde. Elle l'avait compris, elle ! alors que sa propre mère avait eu tant de peine à admettre seulement cette pensée ! Il lui en sut un gré infini.

– On m'a d'ailleurs parlé de votre fiancée, reprit Mme de la Rouveraye ; je sais qu'elle est belle et bonne, et accomplie de tout point...

– Vous le saviez ? fit Richard étonné.

– Oui... on m'écrit beaucoup de choses..., répondit-elle avec un demi-sourire.

– Ma mère l'ignorait, cependant...

– Je n'avais pas le droit de lui en parler ! Ce pouvait n'être qu'un bruit en l'air, et puis, mon cher Richard, il m'a semblé que, si c'était vrai, c'était à vous de le dire, et non à moi...

Il baisa une seconde fois cette main prudente et sage, qui décachetait tant de lettres sans éprouver le besoin d'en faire part autour d'elle, et se sentit fort soulagé.

– Mlle Montaubray, dit-il avec une joie visible, est, en effet, une personne fort distinguée ; mais je suis bien heureux, chère maman, de vous voir faire un si bon accueil à un projet que vous, entre toutes, auriez eu mille fois raison de ne pas approuver.

– Votre mère n'a pas fait de même ? demanda la belle-mère avec une expression de raillerie presque imperceptible.

– Non ! fit Richard en souriant. J'ai dû livrer bataille. J'ai obtenu un résultat qui ne me satisfait point complètement ; mais je compte sur le temps, et sur vous, pour adoucir certains angles...

– Le temps, oui... moi... je n'ai pas d'influence sur votre mère, mon cher Richard, ni sur personne, d'ailleurs, je crois. Parlez-moi de Mlle Montaubray.

La tâche était délicate et périlleuse ; Brice s'en tira cependant à son honneur : sa belle-mère l'écoutait avec une attention profonde, posant çà et là une question qui prouvait combien cet entretien l'intéressait.

– Enfin, conclut Richard, je ne demande qu'une chose, c'est de pouvoir la rendre assez heureuse pour la remercier de ce qu'elle consent à faire pour moi et pour mes enfants.

La physionomie bienveillante de Mme de la Rouveraye se modifia tout à coup, comme l'apparence d'une chambre dont on vient de fermer la fenêtre.

– Vos enfants, mon ami, dit-elle, sont, je crois, en dehors de la question.

– Comment ? fit Richard avec le sursaut d'un homme soudain plongé dans de l'eau froide.

– Votre mère gardera Edme, probablement. Quant à moi, vous avez assez de jugement pour sentir qu'il y aurait folie à tenter de me redemander Yveline.

Brice sentit qu'il s'était mépris tout le temps. La bonne grâce de sa belle-mère n'était que l'abandon de droits en réalité chimériques ; c'était de plus, le fait d'une femme très bien élevée et qui avait compris de quel mauvais goût serait le moindre symptôme d'opposition au mariage de celui qui avait été son gendre. La grand-mère serait inflexible.

– Cependant, fit le député, Yveline est ma fille...

– Yveline est la fille de ma fille, tout ce qui me reste d'elle, le seul être qui me rattache à l'existence... Je mourrai, mon cher Richard, cela ne tardera sans doute pas beaucoup, car mes jours sont comptés... Vous n'auriez jamais le triste courage d'arracher à une mère qui a tout perdu, l'unique objet de ses affections en ce monde ! Elle vous reviendra alors, – et je serai heureuse de songer, en quittant la vie, que je la laisse aux soins de la remarquable personne qui doit être votre femme.

– Mais, maman, insista Brice avec toute la souplesse dont il était capable, vous vivrez au contraire très longtemps, nous l'espérons tous, et personne ne le désire plus que moi... Alors, je ne pourrai jamais jouir de la présence de ma fille ?

– Je ne serai point si égoïste, mon cher Richard, répondit Mme de la Rouveraye avec une politesse exquise, et mon amour maternel ne saurait étouffer en moi les autres sentiments. Votre femme et vous serez toujours les bienvenus dans cette maison : en tout temps, pendant la petite enfance d'Yveline, et à l'époque des vacances, lorsqu'elle devra faire son éducation dans le couvent où sa pauvre mère avait reçu la sienne.

Brice sentit s'écrouler le beau château en Espagne qu'il avait édifié au commencement de sa visite ; en réalité, la situation était exactement la même qu'avec sa mère, seulement sa belle-mère y mettait plus de formes. Blessé au fond de lui-même, mortifié de sa propre crédulité, il se leva.

– Nous reparlerons de tout cela plus tard, dit-il. En attendant, votre bienveillance vient de m'adoucir une démarche difficile, et je suis heureux de vous en remercier.

– Vous dînez avec moi ? demanda Mme de la Rouveraye.

– Je regrette de ne pouvoir accepter, dit-il. Je suis rappelé à Paris ce soir même, et d'ailleurs il serait trop tard pour Edme, qui doit rentrer aux Pignons avec Jaffé. Voulez-vous me permettre de sonner ?

Ordre fut donné d'amener les chevaux. Brice remonta à la chambre de sa fille, où Edme jouait gravement avec elle, de l'air d'un roi qui consent à se montrer bon prince. Richard embrassa longuement Yveline, avec une profondeur de chagrin qui ressemblait à du désespoir, mais dont rien ne parut sur son visage, puis redescendit en silence. Lorsqu'il eut pris place dans le phaéton, son fils à son côté, il salua une dernière fois sa belle-mère, et leva les yeux vers la fenêtre, d'où Yveline, dans les bras de la nounou, se penchait vers lui.

– Papa ! cria la fillette. Sa voix claire résonna comme une clochette dans l'air du soir. Un rayon de soleil couchant la nimbait d'or rouge ; elle était délicieuse et immatérielle comme une apparition.

– Au revoir, chérie ! fit-il. Sa voix s'étrangla tout à coup dans sa gorge, et il rendit la main à ses chevaux.

Ils descendirent l'avenue au grand trot, sous les platanes qui formaient un berceau. Edme, tout étonné, vit à deux reprises tomber une goutte d'eau sur la couverture qui enveloppait ses jambes et celles de son père, qui, les lèvres serrées, conduisait son attelage avec grand soin.

– C'est des gouttes de pluie, pensa le garçonnet.

Non, petit Edme, c'étaient des larmes.

L'état d'esprit de Brice en cette circonstance ne pourrait se traduire que par le mot : sinistre. Il roulait confusément dans sa tête des pensées de colère, de vengeance, d'actions violentes ; une rage muette le prenait contre ces deux femmes, qui de façon différente lui avaient pris chacune une moitié de son trésor, et refusaient de le lui rendre.

On lui permettait d'avoir une femme, mais on lui défendait de songer à revoir ses enfants ! Il pouvait être époux, il ne serait pas père, – pas le père de ceux-là, tout au moins ! Et il les aimait pourtant, Dieu le savait ! Il les aimait de toutes ses forces, la chérie surtout...

– Papa, dit tout à coup son fils, sortant d'une méditation prolongée, quand est-ce que nous irons chez nous ?

– Chez nous ? répéta Richard, tout saisi à cette question si simple. Tu te souviens donc de chez nous ?

– Oui, répondit Edme : chez nous à Paris, avec ma petite sœur... Il chercha dans sa mémoire l'image de sa mère, déjà effacée ; on lui avait dit qu'elle était au ciel, il ne pouvait donc pas associer son souvenir avec celui du « chez nous » dont il parlait ; mais au fond de lui-même, il sentait bien que son ancienne demeure devait abriter, outre son père et sa sœur, encore quelqu'un... il ne savait pas bien qui...

– Pauvre mignon ! pensa Brice tout haut. Nous irons, mon cher garçon, – nous irons, sois tranquille, répéta-t-il en serrant les dents.

Le phaéton vola pendant quelques minutes sur la route bien unie ; quoiqu'il ne fût pas tard, grâce aux nuages sombres, le crépuscule enveloppait déjà les bois d'une teinte grise où les masses se détachaient en plus foncé.

– Les lanternes, Jaffé, dit Richard en s'arrêtant.

Le brave homme sauta à bas et s'empressa d'obéir. Pendant qu'il frottait une allumette sur le drap de son pantalon :

– Jaffé, dit tout à coup son maître, qu'est-ce que tu diras de ça, toi ? Je vais me remarier.

L'allumette qui brillait entre tes doigts de Jaffé s'éteignit subitement, comme s'il avait soufflé dessus. Il en frotta une autre qui prit, et alluma une lanterne sans mot dire. Edme avait levé vers son père son visage étonné ; il n'avait pas compris.

– Monsieur va se remarier ? dit enfin Jaffé, en allumant l'autre lanterne. C'est que monsieur a pensé que ce serait bien, car monsieur agit toujours pour le mieux.

– Voyons, laisse là la troisième personne, tu m'impatientes, fit Brice, et réponds-moi comme à un homme. Qu'est-ce que tu en penses ?

– Je pense, monsieur Richard, que si la dame que vous allez épouser a bon cœur, comme c'est probable, ça pourra être un grand bien pour ces pauvres petits... Mais si c'était le contraire, ce serait un grand malheur !

– Elle a bon cœur, Jaffé, fit lentement Brice en plongeant ses yeux dans ceux de son fidèle ami d'enfance.

Les lanternes faisaient paraître l'obscurité plus profonde, Edme eut un peu peur et se serra contre son père.

– Pourquoi dis-tu que ce serait un grand bien ? reprit Richard en rassemblant les guides.

– Parce que... Je ne peux pas vous dire ça ici, monsieur, – ni ailleurs non plus, du reste, parce que ce ne sont pas mes affaires, – mais mieux vaudrait pour le petit qui est là d'être élevé par son père...

Il se tut, et regagna prestement son siège. Richard toucha ses chevaux.

– C'est rapport au caractère, ce que j'en dis, monsieur, reprit Jaffé enhardi par le bruit des roues ; c'est difficile pour une femme seule d'élever un garçon... un garçon qui aura de l'argent... On est disposé à les aimer trop, ces enfants-là...

Jaffé s'était un peu penché en avant, et sa bonne figure était près du petit Edme.

– Alors, tu m'approuves ? dit Richard avec un rire amer.

– Si la dame a bon cœur, oui, monsieur Richard ; sans cela, vous ne la prendriez pas. Mais faudra qu'elle aime les enfants ; autrement, ce serait un grand malheur...

– Tu me l'as déjà dit, fit Brice avec une pointe de raillerie. Elle les aimera, sois tranquille... si l'on veut bien le lui permettre.

Ils n'étaient plus loin de la station, Richard s'aperçut qu'il était en avance sur l'heure du train, et ralentit un peu l'allure de ses bêtes.

– Papa, fit Edme en apercevant la gare, emmène-moi !

– À Paris ! comme cela, nous deux ? répondit Richard pris d'une étrange émotion.

– Oui ! je m'ennuie aux Pignons, sans toi. Allons-nous-en tous deux.

– Et moi ? fit Jaffé en riant d'un gros rire, pour cacher son émotion.

– Toi aussi.

– Et les chevaux ? insista le domestique.

Edme resta perplexe. Son père fut saisi d'un tremblement violent. Était-ce la fraîcheur du soir, ou bien ce qu'il avait enduré pendant cette cruelle journée, ou bien le désir féroce qui lui venait d'obéir à son fils et de l'enlever tout à coup ? Et s'il l'enlevait, qu'arriverait-il ? N'était-ce pas son droit de père ? N'était-ce pas son devoir, peut-être, après ce que Jaffé venait de lui faire entendre ?

Il se raidit de toute sa hauteur d'homme du monde et d'honnête homme.

– Non, mon cher petit, cela ne se peut pas, il faut retourner aux Pignons. Jaffé, enveloppe-le bien ; n'as-tu pas quelque chose pour cela dans le coffre ?

– Voilà, monsieur, répondit le domestique en tirant le paletot d'Edme et un foulard, dont il l'emmitoufla jusqu'aux oreilles.

– Et maintenant, partez, dit Brice.

– Oh ! papa, quand le train sera arrivé, dis ?

– Non, tout de suite, répliqua Richard, presque durement. La tentation de voler son fils lui revenait si forte, qu'il se sentait incapable d'y résister un instant de plus. Partez vite, il est tard.

Embrasse-moi, mon petit homme, embrasse-moi bien, bien, avec tes deux mains sur mes joues. Encore ! Là ! c'est bon. Allez !

Les chevaux partirent comme le vent vers leur écurie ; Brice suivit des yeux le léger équipage qui s'enfonçait dans la nuit croissante, sentant un morceau de son cœur s'en aller avec lui. Le train arrivait.

– Et dire qu'il y a tant de gens qui ne se soucient pas de leurs enfants ! pensa-t-il en montant dans un compartiment où par bonheur il resta seul.

# III

Richard arriva à Paris, assez tard dans la soirée ; sans prendre le temps de dîner, sans même passer chez lui, il se fit conduire chez M. Montaubray.

La veille, il avait promis à sa fiancée de lui rendre compte, le soir même, des démarches accomplies ce jour-là. C'était Odile qui avait insisté pour qu'il les fit sans plus tarder, et elle l'avait instamment prié de venir, ne fut-ce qu'un instant, pour lui dire comment il avait été accueilli.

À moins qu'une femme ne soit une véritable enfant ou que l'intérêt ne la dirige, il lui faut un courage réel et un grand amour pour devenir la compagne d'un homme resté veuf. Les difficultés ordinaires d'un mariage pour une jeune fille sont plus que doublées par cette situation embarrassante ; on se trouve avoir à lutter contre les souvenirs et les comparaisons dans l'esprit des familles et des amis ; on rencontre des préventions, parfois des jalousies, là où la première épouse n'avait vu que la bienveillance.

Odile Montaubray savait tout cela. Fille unique, ayant perdu sa mère vers sa douzième année, elle avait vécu près de son père, et dans le commerce journalier de cet esprit véritablement supérieur, elle avait puisé une grande force d'âme jointe à une connaissance de la vie peu commune à son âge. Recherchée par les plus brillants partis, elle avait atteint vingt-quatre ans sans en vouloir accepter aucun.

On avait dit autour d'elle que cet attachement au célibat provenait d'un amour mal placé ; ne faut-il pas qu'on calomnie, lorsqu'on ne comprend pas ? L'amour de Mlle Montaubray était bien placé : l'homme qu'elle avait toujours aimé était Richard Brice ; seulement, alors, il était marié.

Elle l'avait aimé marié, sans vouloir se l'avouer à elle-même ; puis, le jour où elle avait été forcée d'en convenir vis-à-vis de sa conscience, elle s'était imposé de ne plus le voir. Fidèle à sa résolution, elle avait vécu deux ans sans le rencontrer, ou, du moins, sans qu'il eût occasion de lui parler. Elle n'entretenait aucun mauvais sentiment à l'égard de Mme Richard Brice ; pour cette âme droite et fière, le mari d'une autre femme était un être hors de ce monde, malgré la chaleur de cœur qu'elle ressentait à sa seule pensée, et la femme de cet homme était au-dessus du vulgaire, puisqu'il l'avait choisie. Mais lorsqu'il devint veuf, elle eut l'impression que sa vie à elle venait de s'épanouir. Son cœur longtemps serré s'ouvrit comme une fleur magnifique ; elle ne douta pas un instant de l'avenir. Richard ne l'avait jusque-là peut-être pas remarquée, il l'aimerait, elle en était sûre.

Elle n'employa aucun des petits manèges d'une femme coquette ; Odile était bien au-dessus de cela ! Mais au lieu de l'éviter, elle lui parla ; il la vit chez son père, où il avait souvent occasion de se rendre ; elle le reçut avec cette ampleur de bienveillance, avec cette générosité d'accueil qui est bien plus et bien mieux que de la sympathie ou de la pitié ; il sentit bientôt qu'il avait un nid dans cette âme, et le jour où il le comprit, il l'adora.

Ils s'entendirent presque sans se parler ; leurs mains se trouvèrent jointes un soir, devant la table à thé, au milieu d'une foule de gens qui ne s'en aperçurent seulement pas : le hasard d'un entretien les avait rapprochés, un mot les unit :

– Pour la vie ? dit Brice simplement.

Elle lui répondit :

– À toujours.

Elle l'attendait, ce soir, avec une sorte d'angoisse, elle toujours si sereine ; sa vieille cousine, qui était restée avec elle depuis la mort de sa mère, s'inquiétait de la voir aller de la porte à la fenêtre, avec des pâleurs soudaines, elle dont le teint nacré s'était à peine nuancé de rose lorsqu'elle avait accepté la main de Richard. Son père était sorti, contraint d'aller passer quelques instants dans une soirée officielle, et les minutes lui semblaient longues.

Enfin, le timbre de la porte résonna, et Brice parut sur le seuil.

– Eh bien ? lui dit-elle, sans s'avancer vers lui. Elle était debout au milieu du salon, en pleine lumière, dans l'éclat de sa tranquille et saine beauté.

– C'est fait, répondit-il, mais à quel prix !

Il s'était approché, lui tendant la main ; elle lui désigna un fauteuil, tout près du canapé où elle s'assit elle-même. La vieille cousine sourit, dit bonsoir et retourna à son livre. C'était une femme prudente et sensée, qui savait quand il fallait parler et quand il fallait se taire.

– On veut garder vos enfants ? dit Odile à voix basse.

– Comment le savez-vous ? fit-il en levant vers elle son visage décomposé.

– C'était inévitable ! Mais ne craignez rien, nous les aurons !

Elle était si calme, elle parlait avec tant d'assurance ! Jamais il ne se fût douté que tout à l'heure elle était en peine de lui, à en crier de douleur si elle l'eût osé !

– Vous croyez ? Nous avons affaire à deux femmes bien tenaces, chacune dans leur genre, et bien fortes, car elles ont possession...

– Ne craignez rien, vous dis-je ! Nous les aurons !

Elle souriait. Il pensa qu'elle était capable en effet de les obtenir.

– J'ai failli voler mon fils, tantôt... il voulait venir avec moi, pauvre petit... Cela n'a tenu qu'à un fil !

– Vous avez bien fait de résister, dit-elle, cela aurait tout gâté. Elles nous les rendrons, vous verrez !

Il avait perdu sa belle supériorité d'avocat vainqueur, d'éloquent député : ce soir-là, martyr de cette journée, il n'était plus qu'un malheureux homme attristé, joué presque, par deux femmes obstinées, et conscient de sa défaite. Elle l'aimait mieux encore, s'il était possible, triste et humilié, que dans le triomphe et dans la joie ; dans ses yeux de femme aimante, il vit le refuge et la consolation. Ce n'était pas pour cela qu'il l'avait aimée, mais elle lui en devint plus chère. S'il avait su qu'elle avait pleuré la moitié du jour ! On n'en voyait rien pourtant dans ses beaux yeux graves.

– Vous n'avez pas dîné, lui dit-elle très doucement.

– Qui vous a dit cela ?

Elle montra du doigt l'indicateur ouvert sur la table.

– Neuf heures quinze à l'arrivée, répondit-elle ; vous êtes venu directement et vous n'avez pas pu dîner à la Rouveraye, parce que vous n'auriez pas pu prendre ce train-là !

Il ne put s'empêcher de rire.

– Vous êtes dangereuse, dit-il, avec votre perspicacité. Il faudra se méfier de vous !

Elle sonna et demanda le thé dans la salle à manger.

– On vous a préparé à souper, dit-elle. Venez-vous, cousine ?

La cousine refusa du geste, indiquant son roman, si intéressant !

Ils passèrent tous deux dans la grande salle à manger, la porte restant ouverte entre les deux pièces. Il s'assit, déjà moins accablé ; elle resta debout pour le servir, et, tout à coup, il eut l'impression qu'ils étaient mariés depuis très longtemps déjà, qu'ils avaient partagé bien des joies et bien des peines, et qu'avec cette femme-là à son côté, la vieillesse et la mort ne seraient rien de redoutable, rien du tout, en un mot. Peut-être était-ce déjà venu sans qu'il s'en doutât ? Il perdait la notion du temps et de l'espace à regarder cette merveilleuse sérénité.

– Vous a-t-on dit beaucoup de mal de moi ? fit-elle en souriant. Elle le servait avec une délicatesse et une aisance qu'il n'avait jamais vues ailleurs.

– Pas du tout ! répondit-il en souriant aussi. Tout le monde est d'accord pour chanter vos louanges. Ma belle-mère surtout !

– Ah ! c'est très bien de sa part ! Je lui en sais beaucoup de gré, je vous assure ; c'est une femme accomplie, d'ailleurs, m'a-t-on dit.

– Oui ; mais elle garde Yveline, avec des arguments auxquels il n'y a rien à répondre.

– Fort bien, répliqua Odile, en inclinant gravement la tête. Et votre mère garde Edme ?

– Certainement ; et quand ils seront, l'un au lycée, l'autre au couvent, ces dames viendront s'établir à Paris, pour les faire sortir les jours de congé.

– Parfait ! Et cela vous inquiète ?

Il ne sut que répondre, tant elle avait l'air assuré dans sa gravité souriante. Ils parlèrent d'autre chose, pendant qu'elle le faisait manger. Bouchée par bouchée, elle lui préparait, sur une assiette, quelque chose qu'il acceptait sans y prendre garde ; elle lui avait versé quelques gouttes d'un vin généreux ; il se sentait revivre dans cette atmosphère de bien-être moral et physique.

– Odile, dit-il tout à coup, en repoussant la tasse de thé qu'il venait de vider, est-ce bien vrai que vous allez être ma femme et que nous ne nous quitterons plus ?

– S'il plaît à Dieu ! répondit-elle de toute son âme, nous ne nous quitterons plus qu'au seuil de la vie, et encore pas pour longtemps, mon cher Richard !

– Je ne pourrais plus supporter de vous perdre, fit-il en l'enveloppant de son beau regard, redevenu vaillant. Alors, quand nous marions-nous ?

– Dans un mois, si vous voulez.

– Dans un mois, soit.

Il se leva ; c'était un autre homme que celui qui était entré une heure auparavant, si triste et si fatigué.

– Et puis, vous savez, dit-il, nous avons Jaffé pour nous !

Elle le précédait dans le salon, portant une tasse de thé à sa cousine, qui venait de fermer son livre.

– Jaffé ? Jaffé est pour nous ? fit Odile en riant. Oh ! alors nous avons partie gagnée !

– Jaffé est pour nous, mais à condition que vous serez très bonne. Sans cela, dit-il, ce serait un grand malheur !

Ils se prirent à rire tous les deux, comme des gamins. Puis, soudain, les nerfs de Brice se détendirent, et il eut envie de pleurer.

– C'est cruel, voyez-vous, dit-il très bas, d'adorer ses enfants et d'en être privé... Je sais bien que vous avez confiance, vous... mais moi, j'ai peur...

– De quoi ?

– Qu'on ne leur apprenne à vous haïr !

Le visage d'Odile se contracta légèrement, mais elle ne parut point troublée.

– Cela n'aurait rien d'étonnant, dit-elle ; mais, même de cela, on viendrait à bout.

– Vous n'avez pas peur, vous ?

– Homme de peu de foi ! fit-elle en levant la main avec un geste de reproche.

– Ah ! reprit-il, quand vous parlez ainsi, je vous crois capable de tout ! même de séduire vos deux belles-mères ! Car cela vous fait deux belles-mères, Odile !

M. Montaubray rentrait. Richard, qui allait sortir, resta quelques instants de plus ; on prit des arrangements en vue de la célébration prochaine du mariage, et Brice retourna chez lui, plus léger de cœur qu'il n'en était sorti le matin.

Seule dans sa chambre, Mlle Montaubray resta longtemps pensive avant de se mettre au lit.

– Deux belles-mères, c'est pourtant vrai, se dit-elle, car la grand-mère d'Yveline est presque une mère pour lui... et les enfants pourraient bien apprendre à me haïr... Mais si c'était facile, il n'y aurait pas de mérite ! Et je veux qu'il soit heureux ! Je l'ai pris avec toutes les blessures de son âme, toutes les tristesses de son cœur ; c'est à moi de les guérir... et s'il faut pour cela que mon amour fasse des miracles... il en fera.

# IV

Les Pignons flamboyaient par toutes leurs ouvertures, le soir d'octobre où Richard Brice y amena sa jeune épouse.

Mme Brice mère avait tenu à faire grandement les choses. Tant par ostentation que par calcul habile, elle avait convoqué toute sa parenté et la plupart de ses amis au dîner qu'elle donnait ce jour-là aux nouveaux mariés qui revenaient de leur voyage de noces. Elle s'était dit qu'il serait plus commode pour la jeune femme, aussi bien que pour elle-même, de faire sa connaissance et celle des enfants au milieu d'une réunion nombreuse, qui remettrait à plus tard la possibilité des épanchements.

Y aurait-il un jour des épanchements entre Mme Richard Brice et sa belle-mère ? Celle-ci n'en était pas sûre, et après avoir commencé par se dire qu'elle saurait bien arrêter dès le principe toute espèce d'explication entre elle et sa nouvelle bru, elle se demandait maintenant avec un vague mécontentement s'il n'y aurait jamais moyen de lui énumérer, une fois pour toutes, les choses nombreuses auxquelles il faudrait renoncer.

Les deux femmes s'étaient rencontrées pour la première fois deux jours avant le mariage. La grand-mère, très femme du monde, malgré son indomptable despotisme, avait exactement rempli tous ses devoirs ; elle l'avait même fait vis-à-vis de M. Montaubray avec une insensible nuance de déférence, qui lui avait immédiatement gagné le cœur du vieux député. On n'aurait jamais pu dire sans paroles, d'une façon plus explicite : « Je sais tout l'honneur que vous nous faites, monsieur ! »

Vis-à-vis de sa belle-fille, c'était différent. Mlle Odile, jusqu'à l'heure de son mariage, ne devait être aux yeux de la mère de Richard qu'une personne adroite, venue mal à propos se jeter au travers de l'existence du jeune veuf, et de laquelle on se serait fort bien passé ! On était polie, cependant, avec une légère indication de condescendance, destinée à régler les distances d'une façon convenable. Pourvu que Mlle Odile n'eût pas le caractère romanesque et sentimental !

Dans une situation aussi tendue que l'était la leur, pourrait-on imaginer pire mésaventure qu'une femme adonnée aux larmes, et qui pleurnicherait en demandant les enfants de son mari ? Cette appréhension ne devait pas se réaliser, et Mme Brice mère put le constater avec un certain plaisir.

Au sortir de l'église, tout était changé ! La belle-mère des enfants de Richard pouvait témoigner un désir aussi modéré que légitime de se faire présenter les petits êtres dans la vie desquels elle était appelée à ne jouer aucune espèce de rôle actif.

La grand-mère fut surprise de ne rien entendre à ce sujet : quelques minutes d'un inévitable tête-à-tête au moment du départ des époux pour leur voyage de noces ne servirent d'aucun prétexte, et Richard seul, en montant en voiture, dit simplement à sa mère :

– Embrassez bien les petits pour nous !

Odile avait appuyé du sourire, et ils étaient partis.

Mme Brice mère aurait dû se trouver au comble de ses vœux ! Et voilà que par une inconséquence naturelle à la faiblesse humaine, – et peut-être aussi plus particulièrement chez elle, – ce silence, cette réserve l'avaient fort désagréablement impressionnée. Se pouvait-il que la jeune femme, dûment avertie par son mari, eût simplement et silencieusement renoncé à l'exercice des droits que Richard avait si hautement revendiqués pour elle ? Était-ce une renonciation muette, un abandon sous-entendu ? Mais alors, ces pauvres petits, comme on les congédiait brusquement d'une vie où personne n'avait plus besoin d'eux !

Et Mme Brice, tout en reconnaissant qu'elle devait être ravie, attendait, avec une anxiété assez forte pour ébranler ses nerfs, le moment où elle devrait présenter son petit-fils Edme au froid baiser de cette étrangère ; Mme de la Rouveraye s'efforçait en vain de la calmer, toute sa placidité ne parvenait pas à atténuer les impatiences de son amie.

Au moment où le coupé qui amenait les époux s'arrêta devant la porte, Richard serra la main de sa femme.

– Du courage, chère Odile, lui dit-il ; nous allons combattre le bon combat.

– Je suis préparée, répondit-elle avec un sourire lumineux.

Ils entrèrent. Dans le grand salon, éclairé par plusieurs lampes, les deux grand-mères, tenant chacune un enfant par la main, les attendaient debout. En voyant Richard, Edme et Yveline se précipitèrent vers lui ; il reçut d'abord dans ses bras son fils, plus agile et plus fort ; au moment où Yveline allait atteindre son père, ses petits pieds s'embarrassèrent l'un dans l'autre ; elle serait tombée, si Odile ne l'avait prise au vol, et enlevée à la hauteur de son visage.

Un peu étonnée d'abord, la fillette regarda les beaux yeux qui lui souriaient, et pour réponse elle présenta ses lèvres fraîches. Odile reçut le baiser et le rendit, puis mit l'enfant dans les bras de Richard qui s'était tourné vers elle.

Tout cela s'était fait si vite, que les deux grand-mères n'avaient pas eu le temps de dire un mot, à peine de faire un mouvement. Une inévitable cordialité remplaça l'embarras de la première minute, et c'est en souriant que se fit la présentation, avec le premier échange de politesses.

– Odile, dit Richard, voici mon fils.

Edme n'avait pas quitté la main de son père, contre lequel il se pressait. Il leva sur sa belle-mère un regard chargé de colère et de frayeur.

Odile ressentit un coup, comme si on l'avait frappée en pleine poitrine. Ce regard d'enfant qui portait presque de la haine dans des yeux si semblables à ceux de Richard, lui causait une indicible douleur. À son tour, elle le regarda, cherchant à pénétrer jusqu'au fond de cette jeune âme déjà faussée... Le petit garçon baissa les yeux et recula un peu, comme pour se cacher.

– Ah ! pensa la jeune femme avec une amertume profonde, ce ne serait rien qu'il me haït, si on ne lui avait pas déjà appris qu'il doit me le dissimuler !

Elle se pencha vers lui, prit la petite main glacée qui résistait, et mit un baiser sur le front blanc, un peu étroit, mais haut et pur. Edme recula encore, puis essuya son front avec sa manche.

– Mon fils, dit Richard, qui avait tout observé sans cesser d'écouter Mme Brice, embrasse ma femme, mon cher petit ; c'est ta seconde mère, je l'aime, et tu l'aimeras.

Edme restait immobile.

– Voyons, Edme, fit la grand-mère, qui avait rougi, moitié de vexation, moitié de honte, embrasse donc... madame.

– Ne le pressez pas, chère madame, répondit Odile de sa voix musicale ; mieux vaut attendre plus longtemps et qu'il le fasse de lui-même. Je l'ai embrassé, moi, et pour le moment, cela me suffit. Il sait que je l'aime, et il m'aimera...

Mme Brice mère était restée silencieuse, un peu embarrassée. Mme de la Rouveraye vint à son secours.

– Je crois, dit-elle, chère madame, que vous ferez bien de vous habiller sans plus tarder ; dans une demi-heure, nos derniers invités vont arriver, la maison est déjà pleine... On vous attend avec une véritable impatience...

– Je redescendrai dans un instant, répondit Odile.

Richard l'emmena ; quand ils furent seuls, il tendit les bras à sa femme :

– C'est commencé, dit-il, vous voilà prise dans l'engrenage !

– Ne craignez rien, répondit-elle ; si je n'avais pas peur du chagrin que ces choses-là peuvent vous causer, je ne m'y arrêterais pas un instant, je vous assure !

Richard passa dans sa chambre, où il trouva son fidèle Jaffé. Pendant qu'il faisait sa toilette, le brave homme lui racontait les menus événements survenus en son absence. Ni l'un ni l'autre ne faisaient allusion aux modifications que le mariage récent pouvait avoir apportées aux Pignons. Trois coups impérieux firent résonner la porte.

– Jaffé, criait la voix d'Edme, où es-tu ?

Sur un signe de son maître, Jaffé ouvrit, et le petit garçon entra.

– Tu es là, papa ? dit-il avec un peu de surprise. Pourquoi pas dans ta chambre ?

– C'est celle-ci qui sera la mienne à présent, répondit Richard en l'attirant à lui.

– Et à côté, c'est la dame qui demeure ?

– Quelle dame ? demanda son père en feignant l'ignorance.

– La dame qui est venue avec toi... ma... ma belle-mère ! fit-il, en tirant le mot de sa gorge comme avec un effort.

– Tu ne dois pas l'appeler ta belle-mère, mon fils, dit Richard, avec un baiser, pour faire passer le reproche ; c'est ta seconde mère, et tu l'appelleras « maman ».

Le petit garçon secoua la tête énergiquement à plusieurs reprises, et, au moment où Richard allait lui parler, il s'enfuit rapidement, jetant bruyamment la porte derrière lui.

– Qu'est-ce que cela signifie ? demanda Richard, moins pour s'instruire que pour se faire une contenance.

– Cela signifie, monsieur, répondit Jaffé, que, lorsqu'il y a deux mois, M. Edme, à la gare, vous a demandé de l'emmener, vous auriez dû l'écouter. Je n'ai personne à blâmer, et les affaires de mes maîtres ne me regardent pas ; mais je n'aimerais pas, si j'avais un garçon... heureusement je n'en ai pas. Bref, monsieur, monsieur peut compter qu'il aura du fil à retordre. Voici la cravate blanche de monsieur. Et c'est une jolie dame que la dame de monsieur, et elle a l'air d'une dame très distinguée, et il faudra qu'elle se méfie, parce que l'autre grand-mère, n'est-ce pas ?... Ça aura l'air d'aller tout seul, mais il faudra que monsieur aussi se méfie, parce que Mlle Yveline est encore trop jeune pour comprendre ; mais au fond, ça sera exactement la même chose, seulement, plus en douceur pour ce qui se verra en dehors.

Sur cet étonnant discours, la toilette de Richard s'acheva sans autre incident.

Le dîner fut très brillant ; dans tous les environs, le mariage de Richard Brice avait excité la plus vive curiosité ; non seulement la famille Brice était la première du pays, mais la situation de Richard comme député le mettait en relations avec tout ce que le département comptait de considérable. Sa résolution de se remarier prenait les proportions d'un événement, et aussitôt deux camps s'étaient formés. Est-il besoin de le dire ? presque tous les hommes approuvaient Richard, et presque toutes les femmes blâmaient Odile.

La beauté et la supériorité de la jeune mariée ne produisirent point dès l'abord tout l'effet qu'on aurait pu en attendre, c'est-à-dire qu'elles lui firent moins d'ennemies qu'on n'aurait pu le supposer. Certaines beautés et certaines supériorités, en effet, sont pour ainsi dire agressives : elles s'imposent d'une façon bruyante, autoritaire, qui excite à la résistance. D'autres, au contraire, et ce ne sont pas les moins réelles, semblent presque ne pas exister ; à la longue, on en sentira le charme, on se soumettra par degrés insensibles, pour ne plus se détacher, – mais au premier moment, on serait tenté de croire qu'on n'a devant soi qu'une personne ordinaire, un peu plus jolie, un peu plus aimable que la moyenne.

Odile avait bien pressenti les animosités qu'elle aurait à combattre ; aussi s'était-elle fait une règle d'effacer tout ce qui pourrait en elle paraître trop brillant. Elle ne pouvait diminuer sa beauté, mais elle pouvait, au lieu de la faire ressortir, en atténuer l'éclat, de même qu'elle s'était résolue à beaucoup écouter, sans parler elle-même. Ce plan, qui exigeait autant de sagesse que d'abnégation, réussit à merveille.

– Quoi ! ce n'est que cela ? se dirent les femmes ; on peut sans peine être mieux mise, être plus belle, avoir plus d'esprit !

Depuis celles qui se piquaient de beauté jusqu'aux simples bas bleus qui se targuaient de littérature, chacune dit et répéta que la nouvelle Mme Richard Brice n'était ni la belle personne ni la femme remarquable qu'on avait annoncée. Les hommes, plus clairvoyants, savaient le contraire ; mais ils n'assistaient point aux conciliabules féminins, et leur avis ne put faire pencher la balance ; si les opinions se heurtèrent, ce qui arriva peut-être, comme ce fut à l'abri du mur de la vie privée, ces heurts furent sans résultat.

Mme Brice mère fut fort approuvée d'avoir fait une si belle réception à sa bru ; Mme de la Rouveraye encore davantage, pour avoir su imposer silence à ses sentiments les plus légitimes. Toutes deux avaient eu le grand esprit de comprendre qu'un député ne saurait rester veuf. Comment offrirait-il des dîners, donnerait-il des soirées ? N'y avait-il pas mille occasions dans sa vie sociale et politique où l'absence d'une femme se ferait cruellement sentir ? Au sortir de l'excellent dîner offert par Mme Brice mère, tout le département portait aux nues la famille entière, dans toutes ses ramifications. Jaffé seul n'était point satisfait ; mais comme il n'en faisait part à personne, il n'eut point occasion de se quereller.

# V

Ce premier séjour de Brice et de sa femme fut de courte durée. Ils avaient résolu d'aller souvent aux Pignons et de n'y pas rester plus de quarante-huit heures à la fois, au moins jusqu'au retour du printemps ; de la sorte, nombre de difficultés se trouvaient tournées, et Edme ne perdait point l'habitude de les voir.

Le petit garçon reprit assez promptement ses habitudes de tendresse et de confiance avec son père ; aussitôt qu'il le voyait seul, il courait à lui, posant mille questions, le tiraillant et le câlinant comme il l'avait fait depuis sa naissance. Mais aussitôt qu'Odile paraissait, il retombait dans le silence. Après avoir été grondé une fois ou deux assez vertement par son père, il n'avait plus tenté de s'enfuir à la vue de sa belle-mère ; il restait près d'eux, mais contraint et morose, si bien qu'Odile elle-même avait intercédé pour qu'il obtînt sa liberté.

Cette liberté de s'en aller, Edme ne s'en servit pas ; il resta dans leur compagnie, muet, presque sournois, les écoutant parler, avec une attention fort au-dessus de son âge, interprétant à sa façon les paroles qu'il comprenait mal, achevant par ces efforts mal employés de fausser une part de son intelligence, déjà dévoyée par d'insensibles et presque inconscientes insinuations de sa grand-mère.

Avec son tact délicat de femme, et de femme dans une situation fausse, Odile s'en était promptement aperçue ; mais comment aborder ce sujet avec son mari sans enfreindre la loi de prudence et d'amour qu'elle s'était imposée ? La chose qui lui paraissait odieuse entre toutes, c'eût été par la moindre parole de porter atteinte à l'affection que Brice avait pour sa mère. Que la clarté lui vînt d'ailleurs ! – jamais Odile ne lui dirait un mot qui pût faire naître un conflit.

Richard, malgré ses efforts pour être optimiste, sentait pourtant, sinon tout, au moins une part de ce que souffrait sa femme. Il l'en aimait davantage, avec plus de respect, avec une tendresse plus émue, et pourtant, il eût sacrifié tout, hormis elle, pour pouvoir feindre de fermer les yeux, et continuer de vivre dans cette situation ambiguë.

Les hommes très occupés et dont l'esprit travaille sans cesse, ont une sorte de crainte des événements domestiques, qui les fait pencher vers le *statu quo*, même lorsqu'ils sont les premiers à en souffrir. Il leur semble que l'état présent, même pénible et dangereux, est encore préférable à l'inconnu qui résultera d'un changement. Richard, sans s'en bien rendre compte, partageait cette façon de voir ; mais il était trop intelligent et trop honnête pour ne pas agir lorsque ce serait devenu nécessaire. Ce jour se présenta bientôt.

Les premières feuilles commençaient à se montrer sur les tilleuls, lorsque maître Edme, devenu dans le courant de l'hiver plus indiscipliné que jamais, eut avec son père une affaire sérieuse. Il était dans sa huitième année, et le curé de la paroisse, qui avait entrepris de lui donner un avant-goût de la science, y perdait littéralement son latin.

Richard avait exigé qu'à partir de sept ans, l'enfant, qui savait lire et écrire, fît du latin en même temps que du français et un peu d'arithmétique. En théorie, c'était assez raisonnable, et Mme Brice mère, très ambitieuse pour son petit-fils, avait approuvé sans réserve. Dans la pratique, le garçonnet était absolument intraitable. Un peu assagi durant les premières leçons par le vêtement ecclésiastique, il en était venu, au bout de trois ou quatre mois, à respecter son professeur autant que sa grand-mère, c'est-à-dire le moins possible. L'excellent homme, par indulgence personnelle autant que par charité chrétienne, n'avait pas voulu se plaindre ; mais lorsque Richard s'informa des progrès de son fils, il fallut bien lui répondre que ces progrès étaient nuls.

Richard n'était point partisan des mesures violentes, quand il pouvait agir autrement ; il voulut se rendre compte de la situation par lui-même, espérant que la confusion d'Edme, interrogé en sa présence, lui fournirait le moyen de lui inspirer une salutaire terreur.

Il trouva dans le petit garçon une telle assurance, un si sûr dédain de tout ce qui n'était pas lui-même, que son amour-propre paternel en reçut une cruelle atteinte. Edme ne semblait pas se douter qu'on pût agir vis-à-vis de l'étude autrement qu'il ne l'avait fait : tout au plus témoigna-t-il quelque embarras en se voyant reprocher son attitude à l'égard de son maître. Dûment tancé et sermonné, il prit désormais une tenue plus convenable, mais n'en fit pas plus de progrès.

Richard s'adressa alors à sa mère en la suppliant de lui rendre l'enfant, qui dans la maison paternel le recevrait les leçons de professeurs sérieux. Il se gardait bien de le dire, mais sa certitude était que, soustrait aux gâteries de sa grand-mère, et soumis à une saine discipline, Edme se mettrait au travail comme tout le monde.

Mme Brice reçut fort mal les objurgations de son fils.

– Il avait été convenu, dit-elle, que vous ne me reparleriez jamais de cela ; vous savez quelle a été ma réponse quand vous m'avez annoncé votre intention de vous remarier ; j'attendais de vous assez de tact pour ne pas revenir sur un point aussi délicat, et je suis fâchée de voir que vous ne récompensez pas mieux l'accueil aimable qu'ici nous avons tous fait à votre femme !

Richard ne se tenait pas pour battu : il insista. Le résultat fut une scène très vive, dans laquelle la mère le menaça finalement de le déshériter.

– Ah ! ma mère, s'écria le député, plût à Dieu que par le sacrifice de votre fortune il me fût possible d'apaiser nos dissentiments ! Vos biens ne me sont rien en comparaison de ce que me coûte votre obstination à ne pas comprendre mon réel devoir et le vôtre ! Ce n'est pas de votre colère que j'ai peur, mais de votre chagrin ! Et soyez assurée que c'est la pensée seule que je ferais couler vos larmes en usant de mes droits, qui m'oppose une barrière pour le moment infranchissable !

– Pour le moment ? répéta Mme Brice, en attachant ses yeux vifs sur le visage altéré de son fils unique. Alors vous réservez l'avenir ?

– Je le réserve, répondit Richard en s'inclinant avec respect, mais avec une inexorable fermeté d'accent. Le jour où l'intérêt moral de l'enfant l'exigerait absolument, – même au risque de vous déplaire, je saurais agir pour son bonheur.

Mme Brice quitta le salon où cette discussion avait lieu, et Richard demanda ses chevaux. Il partit sans l'avoir revue et rentra à Paris le cœur déchiré...

– Nous nous sommes mépris, dit-il à sa femme ; nous avions compté sur le temps, le temps se ligue aussi contre nous. Ma mère s'attache de plus en plus à son petit-fils, de plus en plus elle devient son esclave, et je prévois les plus grands malheurs.

Odile essaya de réconforter son mari, et grâce à sa sérénité, à la sagesse de ses raisonnements, elle parvint à lui faire accepter la pensée d'un avenir prochain où Edme, entré au lycée, serait soumis à une discipline qui modifierait heureusement ce qu'une éducation irrégulière aurait pu développer en lui de fâcheux.

Richard calma momentanément ses appréhensions, et se plongea plus avant dans les travaux qui absorbaient le meilleur de son temps. Entre ses travaux et la femme qu'il aimait de jour en jour davantage pour sa noble beauté autant que pour ses vertus, il eût été parfaitement heureux sans la pensée de ses enfants. Yveline le préoccupait moins qu'Edme. D'abord, elle était beaucoup plus jeune, et pour le présent, on ne pouvait songer à autre chose qu'au plaisir de la voir grandir et devenir de plus en plus délicieuse. Il soupirait souvent, en se disant que cette fleur exquise, la joie de son âme et de ses yeux, s'épanouissait sous un autre toit que le sien ; mais il la savait si heureuse dans la vie libre de la campagne, qu'il se résignait, à condition d'aller souvent l'embrasser.

Odile l'accompagnait presque toujours dans ces visites de quelques heures ; c'était pour elle un sacrifice très pénible, et ce n'est qu'en faisant appel à toute sa force morale qu'elle parvenait à l'accomplir sans que rien de ses émotions transparût au dehors ; mais elle le faisait pour l'amour de son mari, et pour son mari elle eût accepté toutes les croix.

Mme de la Rouveraye avait, en effet, pris, dès le premier jour, vis-à-vis de la jeune femme une attitude aimable qui creusait entre elles un gouffre infranchissable. Edme était hostile, et peu de pénétration suffisait pour deviner que Mme Brice devait ne lui parler de sa belle-mère qu'avec une amertume mal déguisée ; mais Mme de la Rouveraye était à la fois polie et glacée comme la surface d'un miroir ; on ne pouvait soupçonner en elle aucune mauvaise disposition, l'apparence de la petite Yveline était toujours correcte et gentille. Ici, à coup sûr, impossible de supposer qu'elle cherchât à influencer la fillette contre sa belle-mère ; il était évident qu'elle ne lui en parlait pas. Pour l'enfant, si jeune qu'elle fût encore, les dames des environs, amies et parentes, étaient des amies ; elle les connaissait et jasait avec elles ; Mme Odile était toujours aux yeux d'Yveline la dame qu'elle avait vue pour la première fois aux

Pignons, c'est-à-dire une étrangère à laquelle rien ne pouvait l'intéresser. Mme de la Rouveraye était beaucoup trop charitable pour dire du mal de son prochain ; elle n'en disait rien, – mais certains silences sont pires qu'une condamnation, dont on pourrait appeler... Odile était, par ce mutisme, condamnée, non à la mort, – ce qui suppose une existence préalable, – mais au néant éternel.

C'est ce qui rendait les visites à la Rouveraye si pénibles pour Mme Richard Brice. Chercher dans les yeux d'Yveline toujours la même expression un peu surprise, poser un baiser sur ce front indifférent, et la voir retourner à ses jeux avec la placidité égoïste d'un jeune chat un instant arrêté dans ses ébats, c'était à chaque fois un coup de poignard pour la pauvre femme. Son mari ne le ressentait pas comme elle ; habitué à ne songer à son fils qu'avec une irritation sourde, la tranquillité, la parfaite égalité des rapports avec Mme de la Rouveraye lui procurait par contraste un repos qui le rendait optimiste. C'est là que, pour la première fois, Odile apprit que la plus aimante, la plus confiance des femmes peut se trouver contrainte de dérober à son mari quelques-unes de ses pensées. Une imprudente restriction au sujet de l'accueil de Mme de la Rouveraye ayant un jour provoqué chez Richard une ombre de mécontentement, traduite par un silence prolongé, Odile s'était résolue à ne pas insister sur ce point. Elle avait trop de frayeur de l'avenir possible pour ne pas s'efforcer à tout prix de conserver les joies du présent. Elle aimait son mari autant qu'il est possible d'aimer sur la terre ; elle l'aimait dans toutes ses pensées, dans toutes ses actions ; elle en était fière, et avec cette abnégation touchante des femmes qui aiment vraiment, oubliant ce qu'elle était elle-même, elle l'eût volontiers remercié de l'avoir appelée à partager sa vie.

Richard n'appréciait pas tout à fait assez cette tendresse exquise, qui s'épanchait sur lui, pareille aux parfums de Madeleine épanchés sur les pieds du Christ. Ce n'était pas sa faute, mais celle de sa vie : sa première femme l'avait trop aimé. Ne l'aimant pas lui-même, il s'était contenté de recevoir tout ce qu'elle lui offrait, sans se croire obligé de lui rendre la pareille. Odile, en l'aimait plus encore, n'avait fait que continuer cette tradition de dévouement. Il la chérissait, il était heureux et fier de sa charmante femme, mais il ne savait pas qu'elle eût pu l'aimer moins, le gâter moins, pour mieux dire, et n'en être que plus sage.

Ce sont ces petites choses, plis de feuilles de rose, soit, mais les feuilles de rose peuvent blesser une peau délicate, si elles la frôlent toujours au même endroit ; ce sont ces petites nuances d'une vie nouvelle pourtant heureuse, qui mirent un peu de mélancolie dans l'âme haute d'Odile. Sa mélancolie n'était point pour elle une ennemie, quoique celle-là fût très différente de celle de Mme de la Rouveraye, qui était un besoin pour ainsi dire physique de s'attendrir et de regretter.

Aux heures où Mlle Montaubray s'était interdit de songer à Richard Brice, alors l'époux d'une autre, elle avait connu la tristesse et la résignation ; mais alors, c'étaient des compagnes aimées, bienvenues, qui devaient l'aider à vivre ses années solitaires. À présent qu'elle tenait son rêve dans ses mains reconnaissantes, il était plus dur de retomber dans les grisailles de l'incertitude.

Elle était vaillante cependant, et surtout très sage. Elle se dit que la vie est longue et qu'on ne désespère pas à vingt-cinq ans. Son mari l'aimait ; avec la grâce de Dieu, il l'aimerait toujours, car elle était sûre de ne pas démériter de sa tendresse. Elle se raidit contre ses petites déceptions, se cuirassa de souriante politesse contre l'aimable froideur de Mme de la Rouveraye et attendit : l'amitié de tous ceux qui connaissaient sa valeur et les succès mondains dont elle n'avait garde de se laisser enivrer, l'aidèrent à se faire une existence extérieure pleine d'un charme sans banalité.

# VI

Trois années s'étaient écoulées. Vaincue par la raison du plus fort, c'est-à-dire par la déraison de son petit-fils, Mme Brice s'était décidée à lui donner une institutrice.

C'était une personne très sage, qui avait fait plusieurs éducations déjà, et qui, en prenant de l'âge, avait choisi la mission difficile, mais flatteuse, de préparer les petits garçons pour le lycée. Elle avait jusque-là fort bien réussi, et on la déclarait très supérieure à tout gouverneur pour mener à bien les études des jeunes héritiers de grande famille. Cette réputation méritée devait attirer sur elle l'attention de Mme Brice mère, qui, décidément, trouvait Edme un peu récalcitrant.

Les choses marchèrent assez convenablement pendant dix-huit mois environ, puis le baromètre descendit aux Pignons, pour ne plus remonter ; – c'étaient, de la part de l'institutrice, des gronderies interminables, – de la part d'Edme, des éclats de colère qui faisaient présager une adolescence ingouvernable. À plusieurs reprises, Richard avait dû intervenir ; sa présence seule suffisait pour rétablir le calme et faire rentrer Edme dans le devoir, car le jeune garçon aimait son père avec un enthousiasme touchant. Rien n'était aussi beau, aussi bon que ce père absent ; en revanche, au nom de Mme Richard Brice, ses sourcils se fronçaient et sa physionomie revêtait une expression dure. N'était-ce pas à cause de sa belle-mère qu'Edme était privé de vivre avec son père ? Il avait tiré ses petites conclusions tout seul, – ce qui était fâcheux, car moins renfermé, plus expansif, il eût causé avec Jaffé, qui lui eût donné quelques saines notions de la vérité ; mais Jaffé avait perdu toute influence depuis l'entrée de l'institutrice, qui, fort intelligente et bonne cependant, avait en elle-même réprouvé la familiarité de ce domestique, avant d'avoir pu se rendre compte de la différence qu'il y avait entre celui-là et tous les autres. Il s'était trouvé peu à peu écarté de son jeune maître, et, sous un prétexte ou sous un autre, les occasions de causer avec lui avaient disparu. Mme Brice mère estimait fort Jaffé, sans lequel elle n'eût pu se tirer de la gérance de son bien ; mais elle connaissait la franchise de son langage, quoique entortillée dans d'inextricables politesses lorsqu'il avait quelque chose de particulièrement désagréable à dire, et elle redoutait instinctivement cette franchise pour son petit-fils.

Un jour de la fin de septembre, au moment où Odile ouvrait ses malles, au retour d'un séjour de quelques semaines chez son père, dans la Creuse, Jaffé fut annoncé par la femme de chambre, un peu effarée.

– C'est le domestique des Pignons qui veut parler à monsieur tout de suite ! dit-elle.

Richard était absent. Odile fit venir l'honnête serviteur dans la bibliothèque.

– Qu'y a-t-il, Jaffé ? demanda-t-elle. Mme Brice n'est pas malade ?... ni Edme ?

– Non, madame, répondit Jaffé tout d'une haleine ; les santés sont bonnes ; c'est le caractère qui ne va pas. Mme Brice m'envoie chercher monsieur.

– Pourquoi faire ?

– Pour mettre M. Edme à la raison, et cette fois c'est sérieux.

Odile réprima un léger mouvement d'inquiétude. Ordinairement, son mari était prévenu par lettre, et avec des ménagements, des adoucissements qui excusaient les sottises du petit garçon.

– Vous n'avez pas de lettre ? dit-elle.

– Non, madame. Mme Brice était tellement en colère que sa main tremblait, et elle ne pouvait pas écrire. Elle m'a dit : « Prends le train, Jaffé, et va-t'en raconter ça à mon fils. » Monsieur n'est pas là ?

– Il ne reviendra que demain matin, Jaffé !

– Je vais l'attendre. Si nous pouvions prendre l'express...

Il regarda Odile avec beaucoup d'attention, de ses bons yeux bruns de chien fidèle, et après un instant d'examen :

– Je vais le dire à madame, fit-il ; peut-être bien que monsieur sera moins vexé que si je le lui disais à lui-même... J'ai bien vu que madame aimait le petit...

– Oui, Jaffé, fit Odile, en lui rendant regard pour regard. Je l'aime...

– Eh bien ! alors, je vais le dire... Car monsieur ne sera pas content. Aujourd'hui, pendant la leçon, M. Edme a giflé son institutrice.

– Vous dites ? fit Odile, qui n'en croyait pas ses oreilles.

– Il a giflé son institutrice, – il lui a donné une tape dans la figure, enfin...

Odile avait pris un air très grave ; Jaffé continua en baissant la voix :

– Et comme madame lui en faisait reproche, c'est vrai qu'elle le traitait rudement et que c'était difficile à supporter...

– Eh bien ? fit Odile, en devenant très pâle.

– Il a levé la main sur elle... il n'a pas frappé, non, madame, heureusement... car Mme Brice est colère, et je ne sais pas ce qu'elle aurait fait !

Odile, consternée, regardait sa robe sur ses genoux, et voyait avec les yeux de sa pensée l'enfant et la grand-mère, face à face, aussi furieux, aussi emportés l'un que l'autre.

– Et alors ? reprit-elle après un instant.

– M. Edme s'est sauvé dans sa chambre, où il s'est enfermé. Depuis lors, il n'a pas mangé et il n'a pas voulu sortir.

Le visage d'Odile exprimait une terreur si évidente, que Jaffé s'empressa d'ajouter :

– Je l'ai vu, madame. Je suis monté sur un arbre dans le jardin, en face de sa fenêtre, et je l'ai vu.

– Que faisait-il ?

Il était à son bureau et il écrivait. Je pense que c'était à sa grand-mère, ou peut-être à monsieur. Alors, je suis parti.

– Et s'il lui arrivait malheur ? demanda Odile tout bas, sans oser presque s'avouer ses craintes à elle-même.

– On le garde à vue, madame, il y a quelqu'un à sa porte, et quelqu'un dans l'arbre, avec une corde pour sonner la cloche en cas d'alarme. On a attaché ses persiennes par dehors, il ne pourra pas les fermer... Il a de la lumière, et l'on fait bien attention. Et puis, ajouta-t-il très bas, il n'a ni couteau ni pistolet...

Ils s'entre-regardèrent, effrayés de ces paroles. Ils avaient eu la même idée tous deux : ce fier garçon de onze ans, dans une rage d'humiliation, pouvait avoir songé au suicide... Odile frissonna et mit sa main devant ses yeux.

– Si j'osais, dit-elle enfin, j'irais tout de suite...

– Il n'y a plus de train ce soir, répondit Jaffé ; sans cela, j'aurai bien escorté madame...

– Nous partirons demain par le premier train ; je laisserai un mot à mon mari.

Après une nuit sans sommeil, où le poids des responsabilités de toute espèce s'abattit bien lourdement sur la pauvre Odile, elle partit. Jaffé, pensant ramener son maître, avait laissé la voiture à la station de Laroche, et le groom prévenu par un télégramme, les attendait avec l'équipage tout prêt.

La route parut interminable : enfin, les Pignons apparurent au dernier détour, et Odile franchit seule pour la première fois le seuil de la maison de sa belle-mère.

Mme Brice était descendue au bruit des roues ; en apercevant sa bru, elle fut très surprise, – et désagréablement. Son attitude contrainte, son regard froid semblaient dire : « Que venez-vous faire ici ? »

– Mon mari est absent, dit Odile, il ne pourra être ici que dans quelques heures, et je suis venue à la hâte...

– C'est fort aimable à vous, répondit Mme Brice, du ton dont elle eût exprimé tout le contraire ; mais tout est rentré dans l'ordre, et nous sommes parfaitement tranquilles. Voulez-vous vous débarrasser ?

Odile ôta son chapeau et son manteau de voyage, avec l'impression qu'elle venait de commettre une méprise considérable, une de ces méprises qui vous laissent tout penaud et dont le souvenir, vingt ans après, vous fait encore monter au front une rougeur d'humiliation.

Une fois son vêtement remis au domestique, elle ne sut plus que faire d'elle-même.

Mme Brice, après avoir fait quelques pas et remué quelques menus objets, s'excusa et retourna au premier étage, sans offrir à Odile de monter dans la chambre qu'elle habitait lors de ses séjours.

Ce manque d'usage, qui n'était peut-être pas tout à fait volontaire, car Mme Brice, malgré la belle apparence de son accueil, était fort loin d'être calme, acheva de bouleverser la pauvre Odile. Elle regarda machinalement autour d'elle, pensa que son mari, quelque diligence qu'il fit, ne saurait arriver avant plusieurs heures, et se dit que ces heures-là seraient les plus longues de sa vie. La matinée n'était pas encore assez avancée pour qu'on pût compter sur le déjeuner pour abréger le temps, et Odile regretta beaucoup l'impulsion généreuse qui l'avait entraînée aux Pignons.

Pour tromper son ennui, et aussi pour avoir des nouvelles, elle descendit dans le jardin et se dirigea vers les communs. Jaffé, prudemment, expédiait le phaéton à Laroche, afin que son maître le trouvât, s'il avait pu prendre le rapide de huit heures cinquante. En voyant Odile, il vint au-devant d'elle.

– Tout va bien, lui dit-il à demi-voix, comme s'il recevait d'elle un ordre sans importance : il s'est endormi vers neuf heures du soir si profondément qu'on a pu dévisser sa serrure ; en se réveillant, il a trouvé sa grand-mère au pied de son lit, ils se sont embrassés, et c'est fini. Je crois que madame est bien fâchée d'avoir fait prévenir M. Richard, et encore plus fâchée...

Il s'arrêta, sa casquette galonnée à la main, sûr d'avoir été compris.

– Jaffé, dit Odile, prévenez le cocher que je pars avec le phaéton ; je vais aller au-devant de mon mari.

– Que dira Mme Brice ? demanda le bon serviteur.

– Mon mari lui expliquera cela comme il voudra, répondit Odile. Voulez-vous aller chercher mon manteau et mon chapeau dans le hall ?

Jaffé disparut et revint à l'instant.

– Vous direz à Mme Brice que je suis allée au-devant de mon mari, fit Odile en posant son chapeau sur sa tête.

Jaffé appela le valet d'écurie.

– Tu diras à madame que Mme Richard est allée au-devant de son mari, fit-il ; c'est moi qui aurai l'honneur de la conduire.

– Soit, dit Odile.

Deux minutes après, Jaffé dirigeait vigoureusement ses trotteurs vers Laroche.

Odile, assise à côté de lui, méditait sur le danger des entraîne-
ments charitables, et ni l'un ni l'autre ne disaient rien. Enfin, Jaffé
parla.

– Je regrette bien d'avoir demandé à madame de venir aux
Pignons, dit-il avec l'abondance de précautions oratoires qui
caractérisait ses discours importants. Si j'avais pu prévoir que la
chose finirait d'une façon aussi simple, je ne me serais pas permis de
déranger madame ; je ne me serais pas dérangé moi-même non plus.
Et surtout si j'avais pu penser que Mme Brice ne voudrait pas laisser
voir M. Edme. J'aurais dû songer à cela, car je connais bien...

Il ne dit pas quelle était la personne ou la chose qu'il connaissait
si bien, mais il garda le silence pendant un instant. Odile attendait la
suite.

– Je l'ai vu naître, M. Edme, reprit-il, et je connais ses qualités, –
il a beaucoup de qualités, – comme ses défauts ; – il en a beaucoup
aussi. Il a, comme nous disons, sauf le respect que je dois à madame,
la tête près du bonnet ; – Mme Brice est de même ; et, de plus, il est
très rancunier, comme M. Richard, qui est le meilleur homme de la
terre, et qui ne pardonne que quand il le faut. J'avais cru que ça
durerait plus longtemps, cette fois-ci ; je me suis trompé et j'en
demande bien pardon à madame.

Odile ne disait rien ; pour tout au monde elle n'eût voulu
interroger Jaffé, et cependant, en l'écoutant, elle sentait qu'elle
remplissait un devoir.

– C'est Mme Brice qui a cédé, reprit Jaffé ; sans cela, ce ne serait
pas fini ; quand il s'entête, notre jeune monsieur, c'est toujours sa
grand-mère qui cède... Si l'on m'avait dit ça quand elle faisait
l'éducation de M. Richard, on m'aurait bien étonné ! Dans ce temps-
là, c'était lui qui cédait. Mais maintenant, madame est plus âgée, et
puis... c'est une grand-mère...

Jaffé releva du bout de son fouet le trotteur de gauche, qui se
faisait traîner par l'autre.

– Enfin, conclut-il, je crois que Mme Brice est désolée d'avoir fait
avertir M. Richard, et qu'elle donnerait bien des choses pour qu'il
n'en sût rien à présent que c'est terminé... Voilà la station au
tournant, et l'express de Paris est en gare. Peut-être que monsieur

est dedans... Sans me permettre de poser une question à madame, qu'est-ce que madame va dire à monsieur ?

Les bons yeux du domestique cherchaient à lire la pensée d'Odile sur ses lèvres closes.

– Si c'était votre fils, Jaffé, dit-elle, que feriez-vous ?

– Je dirais tout ! répondit-il sans hésiter, mais... Voilà monsieur !

Richard se montrait sur le seuil de la porte, les mains vides comme un homme qui n'a pensé à rien, qu'à partir. Odile descendit du phaéton et courut à lui.

– Tout va bien, lui dit-elle en s'accrochant fiévreusement au bras de son mari.

Elle ne pouvait pas l'embrasser, en cet endroit, et pourtant elle eût voulu faire passer en lui le souffle de sa tendresse. Il serra fortement contre lui le bras qui s'attachait au sien.

– Qu'est-il arrivé ? demanda-t-il.

– C'est trop long pour le dire en deux mots. Votre mère et Edme vont très bien. Vous saurez le reste ensuite.

Ils s'approchaient du phaéton. Jaffé, qui s'était mis à la tête des chevaux, salua son maître.

– Si monsieur voulait faire un petit tour à pied, avec madame, dit-il, pendant que les chevaux soufflent un peu, ou bien si monsieur et madame prenaient les devants ? J'aurais vite fait de les rattraper !

– Cet homme a toutes les délicatesses, dit Odile à son mari.

Ils partirent en avant en effet, et, en dix minutes, Richard fut au courant de ce qui s'était passé, y compris l'étrange réception que sa mère avait faite à sa femme.

– Je comprends très bien son embarras, dit Odile, avec un véritable désir de pallier les torts de sa belle-mère ; elle était dans une situation extrêmement fausse. J'étais venue sans en être priée ; plus qu'à tout autre, votre mère doit désirer de me cacher les défauts de son fils.

– Pourquoi plus qu'à tout autre ? demanda Richard, dont le silence n'avait jusque-là rien présagé de bon. Parce que vous avez témoigné un détachement de vous-même qui vous met au-dessus de tous les éloges ?

Un frisson délicieux parcourut Odile ; son mari, assurément, lui avait donné mainte preuve de respect et de tendresse ; mais une louange aussi directe, aussi prompte, au moment où le cœur de la jeune femme était tout endolori, lui parut si douce, si enivrante, que des larmes montèrent à ses yeux, larmes de joie et d'orgueil conjugal.

– Vous avez cédé à un mouvement héroïque, Odile, continua Richard ; je sais ce qu'il vous en a coûté pour le faire, et c'est parce que cela vous coûtait que vous l'avez fait. J'en suis fier, comme époux ; et, comme père, je vous en remercie.

– Ah ! ne me remerciez pas ! fit Odile avec un grand soupir de tristesse ; s'il était mon fils, vous ne me remercieriez pas !

Ils n'étaient pas seuls sur la route, Richard ne put baiser le front de sa femme comme il en mourait d'envie, mais il serra étroitement son bras et attacha sur elle un regard qui valait bien un baiser. Jaffé arrivait à grand fracas de gourmettes, ils montèrent dans le phaéton.

– Qui est-ce qui a eu cette idée de dévisser la serrure ? lui demanda Richard en prenant les guides.

– C'est moi, monsieur, répondit modestement Jaffé. Avant de m'en aller, j'avais dit à Mme Brice que ce serait le seul moyen d'éviter un accident. Quand on avait voulu ouvrir avec une clef, dans le commencement, il avait dit que si l'on entrait, il se jetterait par la fenêtre.

Richard et Odile échangèrent un regard douloureux.

– Alors, on a attendu qu'il dormît. C'était-il pas ce qu'il y avait de mieux à faire ? reprit imperturbablement Jaffé.

– Oui, Jaffé ! Tu es un bon ami, toi.

– On fait ce qu'on peut, monsieur Richard, répondit le domestique, et l'on ne fait que ce qu'on doit. Mais le petit mérite d'être puni, monsieur. Pas tant pour cette affaire-là, qui n'est qu'un hasard, mais il devient méchant, c'est tout naturel, à n'être jamais contrarié, ou bien à l'être trop à la fois. Ce que j'en dis, c'est par intérêt pour M. Edme, continua-t-il en reprenant ses formules de politesse ; car s'il allait toujours comme ça, il aurait du désagrément dans la vie. Je pense que monsieur comprend que c'est à cause de l'amitié que je me permets de porter à monsieur...

– Je comprends tout, Jaffé, dit Richard avec un demi-sourire et un soupir tout entier.

Comme ils arrivaient, Odile ressentit un grand coup dans sa conscience.

– Je n'aurais pas dû revenir, dit-elle à son mari. Votre mère va se trouver, vis-à-vis de moi, dans la situation la plus désagréable.

– Je le regrette, dit posément Richard, mais ce n'est ni ma faute ni la vôtre ; donc, nous devons nous y résigner.

Mme Brice reçut son fils avec un mélange de joie réelle et de gêne mal dissimulée. Si quelque chose devait lui sembler cruel, c'était d'avouer les torts d'Edme devant Odile ; aussi eut-elle soin de les atténuer le plus possible dans son récit. Le déjeuner, servi dès l'arrivée de M. et Mme Richard, servit de prétexte à des arrêts, des coupures qui permirent d'escamoter une partie de la vérité. Restait le fait indéniable : le départ de Jaffé, qui n'avait pu être ordonné que sous l'empire d'une émotion telle que Mme Brice n'en avait encore point connu, puisque c'était un événement jusqu'alors sans précédent.

– J'ai eu tort de me laisser troubler, dit la grand-mère, lorsque son fils lui fit cette remarque. Au fond, il n'y avait rien de si grave, et si je n'avais pas eu les nerfs un peu excités, je n'aurais pas pris les choses tellement au tragique.

Richard regarda sa femme d'un air perplexe ; cette nouvelle version, si différente de celle de Jaffé, donnait à l'affaire une tournure très embarrassante pour lui et pour Odile. Jaffé serait désavoué, c'était évident ; à moins d'une déclaration de guerre bien nette, comment se tirer de là ? L'esprit pratique du député lui fournit une solution. Le repas était fini, on se levait de table.

– Je vais voir Edme, dit-il ; il est dans sa chambre sans serrure ?

– Oui. Je t'accompagne, dit à la hâte Mme Brice.

– Non, ma chère mère, je vous en prie. Je désire voir Edme seul.

– Mais...

– Je le désire absolument, fit Richard avec beaucoup de sang-froid. Odile, voulez-vous avoir l'obligeance d'aller dans ma chambre, prendre, dans le secrétaire dont voici la clef, une liasse de papiers que j'y ai oubliée à mon dernier voyage ? J'irai vous y rejoindre.

Odile prit la clef et sortit. Richard, lui ayant ainsi assuré la retraite, se tourna vers sa mère.

– Il est temps de prendre une décision, lui dit-il ; jusqu'ici, j'ai laissé l'éducation d'Edme un peu au hasard de sa bonne volonté et de votre tendresse, ma chère mère ; mais quelles que doivent être les circonstances de mon entrevue avec lui, je dois vous dire que ma résolution est arrêtée irrévocablement. Edme entrera au lycée la première semaine d'octobre, et je vais l'emmener pour le présenter.

Mme Brice pâlit ; elle avait prévu cela, mais le coup n'en était pas moins pénible.

– Vous ne me ferez pas cet affront, dit-elle.

– Ce n'est pas un affront, ma mère, et je vous supplie de ne pas considérer comme désagréable une mesure que le bon sens lui-même nous impose. Cette année ou l'année prochaine, il fallait qu'Edme entrât au lycée ; du moment où ses progrès dans ses études ne sont plus en rapport avec son âge, nous n'avons plus un moment à perdre.

Il sortit là-dessus, sans donner à Mme Brice le temps de lui répondre. Elle le suivit de loin et monta dans sa chambre, tout proche de celle de son petit-fils, afin d'être à portée de la voix.

Richard entra dans la chambre d'Edme, que la porte sans serrure faisait ressembler à une forteresse démantelée. L'enfant venait de terminer son déjeuner, un domestique enlevait le plateau ; Richard attendit que ce fût fini, et que le valet eût disparu ; puis, sans même essayer de fermer à demi la porte, il s'adressa au jeune garçon.

– Vous avez provoqué du désordre dans cette maison, lui dit-il. Racontez-moi les faits comme ils se sont passés.

Edme était plein de défauts, mais il avait au moins une très grande qualité : c'était une sincérité entière, que la prudence de sa grand-mère, – prudence mondaine et inspirée par l'âge bien plus que par la nature, – n'avait jamais pu entamer. Edme pouvait taire ses pensées, mais il ne savait pas les déguiser. Il se tint devant son père, debout, les yeux fixés droit devant lui, avec une sorte de dédain stoïque pour les conséquences de son algarade.

– Mademoiselle m'a fait une observation, dit-il, pour mes

devoirs qu'elle trouvait mal faits...

– Étaient-ils bien faits ? interrompit le père.

– Ils étaient mal faits, répondit Edme sans trouble.

– Et alors ?

– Alors, je lui ai répondu une impertinence.

– Laquelle ?

– Que je ferais mes devoirs comme il me conviendrait.

– Ensuite ?

– Elle m'a appelé insolent...

Edme s'arrêta ; son père attendit ; après un instant, surmontant l'ennui que lui causait une telle déclaration, l'enfant continua :

– Je n'ai pu supporter cela, j'étais en colère... je lui ai donné un soufflet.

– Un soufflet, Edme ! vous, un homme ! vous avez frappé une femme !

– Elle m'avait insulté ! répliqua l'enfant en redressant la tête ; il plongea ses yeux dans ceux de son père, mais il ne put supporter l'expression de calme reproche qu'il y rencontra.

– Elle n'avait dit que la vérité, mon fils, dit Richard de sa voix profonde.

L'enfant tressaillit, prêt à se cabrer, comme un jeune poulain sous la piqûre du fouet, mais il ne dit rien.

Depuis un instant, un bruit léger d'étoffes dénonçait sur le palier la présence d'une femme. Richard était sûr que ce n'était pas Odile.

– Et ensuite ? fit-il sans trahir l'extrême ennui qu'il en éprouvait.

– Ensuite, rien du tout, dit vivement Mme Brice en entrant. Le reste est une querelle entre moi et mon petit-fils : il a compris ses torts, je les lui ai pardonnés, cela ne regarde plus personne, n'est-ce pas, Edme ?

– Cela me regarde, dit Richard d'une voix toujours calme. Il tremblait sous l'effort qu'il s'imposait, mais son tremblement n'était pour ainsi dire pas visible. Je dois connaître les torts de mon fils, même s'ils sont pardonnés par votre bonté, ma mère. Je suis son juge.

– Dieu seul est son juge ! s'écria Mme Brice avec un emportement qui ne connaissait plus de lois. Il s'est repenti, c'en est assez.

– Dieu et son père, répondit Richard. Edme, voulez-vous avouer ?

– Ah ! s'écria Mme Brice au comble de la rage, je savais bien que du jour où cette femme entrerait ici, le malheur y entrerait avec elle. Elle vous a monté la tête contre votre propre enfant, et voilà que vous l'écoutez...

Richard avait fait un mouvement que sa volonté réprima.

– Ce n'est toujours pas elle qui m'a envoyé Jaffé, dit-il avec une ironie amère. Puisque vous ne voulez pas avouer, Edme, je vous laisse à vos réflexions, j'espère que la raison vous inspirera. Dans une heure je reviendrai.

Il sortit, croyant que sa mère allait le suivre. Elle le suivit en effet, mais aussitôt qu'il fut entré dans sa chambre, elle retourna près de son petit-fils.

– Ma chère femme, dit Richard, c'est la guerre, avec toutes ses conséquences.

Il se jeta dans son fauteuil, couvrant de ses deux mains son visage altéré. Elle s'agenouilla très doucement près de lui, afin qu'il trouvât en face des siens les yeux purs et compatissants de sa chère femme.

– C'est la guerre, reprit-il, et il y aura des coups de portés dont je ne pourrai pas toujours vous défendre, Odile !

Il ouvrit les yeux, et vit près du sien le beau visage qu'il aimait, empreint d'une résignation lumineuse, comme la face des martyrs frappés lorsqu'ils confessaient leur foi. Toute sa force factice s'écroula devant cette grandeur d'âme, et s'appuyant sur l'épaule de sa femme, il pleura à chaudes larmes.

Pendant un moment, elle ne lui dit rien, se contentant d'essuyer avec son petit mouchoir la pluie brûlante qui tombait sur leurs doigts enlacés ; puis elle lui souleva doucement la tête et s'assit auprès de lui, épaule contre épaule.

– Mon cher mari, lui dit-elle, je vous ai épousé non seulement pour prendre part à vos joies, mais aussi pour vous soutenir dans vos traverses, autant que me le permettrait mon humble connaissance des hommes et des choses... Mon cher mari, je suis heureuse et contente de partager vos peines, si la pensée que nous sommes deux peut les adoucir. Vous êtes cruellement frappé, il est juste et salutaire que je le sois aussi, sans quoi notre union ne serait pas parfaite.

Il la regarda avec une expression passionnée, où vibrait tout ce qu'il y a de plus élevé dans le cœur de l'être humain. Ce n'était pas pour son beau visage ou son intelligence supérieure qu'il l'aimait ainsi, mais pour tout ce qu'il y avait de noble et de désintéressé en elle.

– Quoi qu'il arrive, reprit Odile, je serai à vos côtés ; c'est bien peu, mais c'est pourtant quelque chose, dites, mon cher mari ?

Elle avait follement envie de pleurer, les larmes montées à sa gorge l'étouffaient, mais elle ne pouvait pas s'attendrir ; elle devait au contraire infuser tout le calme possible dans l'âme douloureusement combattue qui, à cette heure, se reposait en elle comme dans un asile.

– C'est vous, vous ! reprit-il avec une nouvelle explosion de désespoir, vous qui serez accusée, calomniée, peut-être haïe... Oh ! que la vie est difficile !

Elle le reprit dans ses bras, le berçant comme un enfant, l'abreuvant de douces paroles, jusqu'à ce qu'elle eût fait renaître, sinon la confiance, au moins le sentiment de son autorité légitime dans l'esprit de Richard, un instant presque égaré.

– Et puis, lui dit-elle, pendant qu'il s'appliquait à reprendre une apparence extérieure froide et digne, effaçant la trace de ses larmes et rétablissant le calme sur son visage ; et puis, mon cher mari, rappclcz-vous toujours que les chagrins que vous redoutez pour moi ne peuvent m'atteindre bien profondément. Tant que vous m'aimerez, Richard, je compterai le reste pour peu de chose. Et quant à votre mère, je dois vous dire qu'il me serait impossible d'entretenir à son égard aucun sentiment pénible de quelque durée. Elle est votre mère, d'abord, et de plus, elle a un palladium qui la défendra toujours à mes yeux. Ses erreurs, si elle en commet, ses fautes même, proviendraient seulement d'un excès d'amour pour son petit-fils... Pensez-y, Richard, et que cela vous désarme toujours. C'est votre fils, elle l'aime trop, – mais c'est si beau d'aimer trop ! –

et ne sait-on pas que la faiblesse est une partie de l'amour des grand-mères ?

Richard saisit vivement dans ses deux mains le visage suppliant qui se tournait vers lui, et l'embrassa à plusieurs reprises ; puis il se dirigea vers la porte, et, sur le seuil, se retournant, envoya un sourire à sa femme. Celle-ci, restée seule, s'arrêta devant la fenêtre, regardant sans le voir le paysage déjà touché par la verge d'or de l'automne, et levant ses deux mains jointes vers le ciel, laissa échapper un grand sanglot. Puis, revenant à elle, Odile s'approcha de la table de toilette, arrangea ses cheveux, passa un peu d'eau sur son visage et s'assit, prête à tous les événements.

Richard, comme il s'y attendait, trouva sa mère auprès de son fils.

– C'est fini, n'est-ce pas, Richard ? dit Mme Brice d'un ton où une légèreté affectée se mêlait à une secrète supplication. Edme est prêt à te dire qu'il a offensé sa grand-mère ; mais c'était dans un moment de colère, et il n'était pas maître de lui-même. Il ne recommencera plus, car il en est bien fâché, et moi, je lui ai entièrement pardonné ! Tu ne peux pas être plus sévère que moi, qui suis l'offensée ?

– Vous avez pardonné, ma mère, dit Richard, cela fait honneur à votre bonté maternelle ; mais je ne puis me contenter de cela. Edme va me suivre à Paris, et il entrera au lycée Henri IV la semaine prochaine.

L'arrêt fut écouté en silence. Richard, qui s'attendait à des objections, en fut tout étonné.

– Fais tes petits préparatifs, dit-il à son fils, en reprenant le tutoiement familier. Nous partirons dans une heure.

Ici encore, pas de réponse. Pour éviter une scène, il sortit. Sa mère le rejoignit aussitôt.

– Tu ne vas pas l'emmener ce soir chez toi, dit-elle à voix basse. Viens donc dans ma chambre.

Il l'y suivit.

– Tu ne peux pas l'emmener comme cela, qu'en ferais-tu avant la rentrée ?

– Et vous, qu'en ferez-vous, ma mère ?

– Mademoiselle est partie hier, il n'a plus de raison de se montrer indocile ; tout ira très bien. Au moment de la rentrée, je le mènerai au lycée, et je m'installerai à Paris. Tu ne veux pas qu'il soit interne, je pense ? Ce serait absurde.

– Ma mère, il sera interne, répliqua Richard avec un peu d'irritation. Il a levé la main sur vous, vous le savez bien.

– Qui t'a dit cela ? s'écria Mme Brice. C'est ta femme ?

– Évidemment, c'est ma femme ! Jaffé le lui avait dit de votre part.

– Pas à elle ! J'étais en colère, j'avais perdu la tête, je t'ai envoyé chercher, mais pas elle !

– Qu'importe !

– Comment, qu'importe ? Elle n'aurait pas dû te le dire ! Elle a fait causer Jaffé ; Jaffé a eu tort de parler, mais elle a eu encore plus tort de le répéter. Son devoir, si elle avait du cœur, était de te cacher cela ! On ne dit pas tout aux parents, on se garde bien de les irriter ! Mais elle... elle n'aura pas de repos qu'elle ne t'ait fait prendre ton fils en horreur !

Richard avait reconquis son sang-froid apparent sous cette incroyable attaque ; mais l'émotion qui bouillonnait au dedans de son âme lui fit perdre la mesure.

– Vous voyez, dit-il, ma chère mère, combien il est indispensable que mon fils soit soustrait à votre influence ! Non seulement vous ne lui apprendriez pas à aimer sa seconde mère, mais vous en feriez entre elle et moi un brandon de discorde !

Mme Brice regarda son fils avec une expression d'indignation sans bornes, et sortit, laissant la porte grande ouverte.

Richard descendit, ordonna d'atteler, prévint Odile et retourna près de son fils. Cette fois, l'enfant était seul.

– Es-tu prêt ? lui dit-il avec douceur.

– Prêt à te suivre ? répondit Edme. Non, papa, je ne veux pas m'en aller.

– Que tu le veuilles ou non, c'est exactement la même chose, répliqua Richard agacé. Voyons, est-ce fini ?

– Je n'irai pas chez toi à Paris, reprit l'enfant en serrant les poings ; je ne quitterai pas ma grand-mère pour aller chez ma belle-mère. Je veux bien aller au lycée ; mais chez cette femme, jamais ! Je la hais !

Odile, qui allait descendre, s'arrêta sur le palier.

– Edme, tu n'es qu'un méchant petit perroquet ! s'écria son père perdant à la fin patience.

– Tiens, elle est là qui nous écoute, répliqua Edme dont le regard perçant avait distingué la forme d'Odile par la porte toujours ouverte. C'est elle qui est cause de tout ! Je la déteste ; oui, je vous déteste, madame !

– Edme ! s'écria Richard. Sa main allait s'abattre sur l'enfant ; elle fut arrêtée par Odile.

– Laissez-le, mon ami, dit-elle avec douceur, il ne sait ce qu'il dit ! Il reviendra à la raison plus tard.

L'enfant la regardait avec des yeux pleins de fureur ; impuissant à exprimer sa colère, il proféra une de ces injures que les enfants, même les mieux élevés, peuvent entendre au dehors et répéter sans les comprendre.

– Allons-nous-en, dit Richard en entraînant sa femme, pâle d'horreur. Je crois en vérité qu'ici tout le monde est fou !

Mme Brice était accourue au bruit : son fils, en passant devant elle, la salua avec un profond respect, et sortit. La voiture n'était pas encore tout à fait prête, ils l'attendirent un instant sur le perron. Odile tremblait d'émotion et un peu de froid, car la bise soufflait très âpre. En entendant claquer les dents de sa femme, Richard serra plus étroitement son manteau autour d'elle, chercha dans une de ses poches et trouva un foulard qu'il lui noua autour du cou, le tout sans proférer une parole. Jaffé s'approcha.

– J'ai fait atteler le landau, dit-il, à cause de madame et aussi de M. Edme.

– M. Edme ne part pas, répondit Richard ; tu recevras mes ordres, Jaffé ; s'il arrivait qu'il te fût impossible de les exécuter, tu viendrais me voir à Paris, et si ma mère le trouvait mauvais, c'est à mon service que tu resterais.

– Oh bien ! monsieur, nous n'aurons pas besoin de ça ! fit le brave homme avec un demi-sourire. Mme Brice a trop d'esprit, puis elle est trop bonne au fond, pour parvenir à nous fâcher ensemble !

M. et Mme Richard montèrent dans le landau qui s'était approché, et partirent. Quand ils furent hors de vue, Brice se laissa couler à genoux, et baisant la main d'Odile, il lui dit :

– Je vous demande humblement pardon, ma femme !

# VII

Edme entra au lycée comme interne, sans autres tiraillements. Mme Brice mère avait compris, une fois le calme rétabli, que son aveugle tendresse pour son petit-fils l'avait entraînée trop loin, et elle n'avait plus soulevé d'objections, pour le moment. Richard s'était fait amener l'enfant par Jaffé, et l'avait gardé chez lui deux ou trois jours : Odile s'était absentée à la même époque, de sorte qu'Edme ne l'avait point rencontrée. Lorsqu'il l'avait revue, elle lui avait adressé un simple bonjour auquel il avait répondu de même : elle le traitait avec une réserve qui excluait toute idée de pardon, mais où le censeur le plus sévère n'eût pu découvrir la moindre parcelle de rancune ou seulement de mauvaise grâce.

Mme Brice mère s'installa dans un bel appartement, plus près du lycée Henri IV que de la demeure de son fils, et les journées de sortie se partagèrent ainsi : le matin, Edme, conduit par Jaffé, viendrait déjeuner chez son père ; dans l'après-midi, il irait chez sa grand-mère, qui se chargeait de le faire reconduire le soir.

Tel était le programme des dimanches, programme rarement exécuté, car Edme se voyait privé de sortie au moins une fois sur deux pour insubordination ; mais Richard ne s'en inquiétait pas outre mesure, comptant sur la vie en commun pour adoucir les angles aigus du caractère de son fils.

Il comptait aussi beaucoup sur la première communion du jeune garçon, qui devait, pensait-il, amener une détente. Il fut trompé dans ses espérances ; Edme reçut l'enseignement religieux avec une parfaite correction, sans en paraître profondément touché. On eût dit que quelque ressort, faussé dès l'enfance, empêchait cette âme de s'ouvrir aux épanchements.

Le jour solennel arriva ; Edme vint s'incliner devant son père et lui demanda pardon de ses fautes ; il le fit avec toute la déférence désirable, et le baiser qu'il reçut fut rendu avec chaleur, mais il n'entra dans aucun détail, et le père ne put savoir si l'âme de son fils avait été touchée. Odile était encore absente ; elle allait volontiers voir son père lorsque se préparait quelque fête de famille, quelque date dangereuse par les souvenirs qu'elle évoquait. Mme Brice mère conduisit son petit-fils à l'église, heureuse, triomphante, plus satisfaite qu'elle n'eût voulu l'avouer, de voir les obstacles s'effacer ainsi devant elle, et, au fond de son cœur, elle ne put s'empêcher de rendre justice au tact parfait de sa belle-fille.

L'orgueilleuse grand-mère avait fini par s'avouer que si elle avait eu des torts envers sa bru, celle-ci n'en avait eu aucun envers elle ; elle savait aussi fort bien qu'à la place d'Odile, elle eût agi tout différemment. Pour ne pas s'avouer une défaite humiliante, elle se disait que Mme Richard devait être faite de plâtre ou de bois, ou de quelque substance neutre, incapable de ressentir les émotions qui agitent d'ordinaire les femmes ; autrement, eût-elle pu supporter avec tant de calme et de tolérance ce qui s'était passé aux Pignons, ce dont les oreilles de Mme Brice mère brûlaient encore pour peu qu'elle y songeât ?

La matière indifférente dont était composée Odile n'empêchait point celle-ci de se conduire envers sa belle-mère avec beaucoup de sagesse et de goût : jamais la moindre allusion à ce jour désagréable ; des égards et des prévenances, autant que la belle-mère la plus exigeante pouvait en souhaiter, – en parlant d'Edme, un intérêt marqué, mais assez froid pour exclure toute pensée d'intervention, – en vérité, qui donc au monde eût pu se tirer plus à son honneur d'une situation en réalité très douloureuse ?

Mme de la Rouveraye n'était pas la dernière à répéter les louanges de Mme Richard. Lors des visites que celle-ci lui faisait en compagnie de son mari, pour voir Yveline, elle n'avait jamais pu surprendre le moindre désir d'empiéter sur ses droits, ou de gagner plus particulièrement le cœur de la petite fille. Celle-ci s'épanouissait comme une fleur de premier printemps dans la grâce de ses sourires et de ses caresses un peu superficielles, dans sa joie de vivre, joie légèrement égoïste et ingrate ; elle devenait jolie à souhait, fort intelligente, apprenait tout ce qu'on voulait, avait des manières de petite femme très élégante. Douce à la surface, entêtée, au fond, elle disait toujours à Odile : « Madame », et lui présentait sa joue avec un sourire mondain tout à fait irréprochable. Depuis quelque temps, elle lui disait même : « Chère madame ». Mais dans cette bouche rose, l'adjectif n'avait que l'accent d'amabilité banale que l'enfant entendait échanger entre les amies de sa grand-mère, rien de plus. Mme de la Rouveraye, avec toute sa jalousie latente, ne s'y était pas trompée, et Odile, qui la voyait sourire à ces discours, savait bien que ce joli sourire de douairière cachait une fine ironie.

Richard soupirait en quittant sa fille ; il soupirait encore en la revoyant, si charmante qu'elle fût ; ce n'était pas la grâce et la gentillesse dont il était privé chez lui qui l'attristaient, mais la pensée que cette éducation toute de dehors ne ferait point de son enfant chérie la fille qu'il eut souhaitée. Il l'eût voulue pour les yeux telle qu'elle était, pour le cœur, une autre Odile, douce et généreuse, vaillante et résignée, prête à tous les combats et pourtant pacifique...

– Patience, lui disait sa femme, nous y viendrons.

Désappointé dans ses vœux, il espéra autre chose, et souhaita ardemment un autre enfant, un enfant qui serait sa consolation, car il pourrait l'élever sous ses yeux, voir fleurir l'amour dans l'admirable cœur de mère que possédait sa femme... Cette joie devait lui être refusée. Il se résigna, mais devint plus grave, et chercha dans ses travaux la satisfaction de ses nobles instincts.

Odile en souffrit ; non qu'elle se vit délaissée, mais elle sentait, avec son acuité de perception ordinaire, que son mari éprouvait un désappointement. Elle aussi se résigna, et, entre ces époux qui eussent pu être si heureux, il y eut désormais un chagrin dont ils ne pouvaient pas se parler. Ils ne s'en aimèrent pas moins, mais à cause de la pensée qu'ils ne se disaient pas, leur vie fut attristée.

Sur ces entrefaites éclata la tempête de 1870. Dès les premiers jours d'août, Mme Brice emmena Edme avec Jaffé aux Pignons. Yveline était à la Rouveraye. Richard refusa de quitter Paris, et Odile resta avec lui.

Chacun de son côté fit son devoir, et, lorsqu'on se retrouva après l'horrible tourmente, les hostilités personnelles, les mesquineries des luttes intestines s'étaient effacées, au moins en partie, dans le mélange des douleurs patriotiques et des sentiments de famille, affinés et surexcités.

Odile avait perdu son père pendant le siège, et cette perte très sensible l'avait rendue encore plus sérieuse. Richard insista pour qu'Edme rentrât au lycée dès que les cours y furent réorganisés, et Mme Brice, très fatiguée, très vieillie par les luttes et les chagrins de l'invasion, resta aux Pignons pour y rétablir l'ordre.

Au mois de juillet, Richard Brice, qui avait accepté une mission diplomatique temporaire à l'étranger, venait de quitter Paris ; Odile se proposait d'aller dans ses terres passer deux ou trois semaines, lorsqu'elle vit un matin arriver Jaffé.

Depuis l'aventure qui avait motivé l'entrée d'Edme au lycée, la jeune femme ne recevait plus les visites du brave homme qu'avec une appréhension secrète. Il était pourtant venu bien des fois sans apporter aucune fâcheuse nouvelle ; mais ce jour-là, les craintes involontaires d'Odile n'étaient pas sans fondement. Elle s'en aperçut au visage bouleversé du domestique.

– Nous n'avons pas de chance, dit Jaffé, oubliant ses formules ordinaires. Mme Brice m'avait envoyé ce matin porter des effets à M. Edme, et voilà qu'en arrivant au lycée je l'ai trouvé à l'infirmerie.

– Ce n'est pas sérieux ? fit Odile effrayée.

– On n'en sait rien. Il y a tant de maladies dans ce Paris depuis qu'ils ont remué tous les pavés ! Bref, on m'a dit d'avertir monsieur et, s'il était possible, de reprendre le petit, pendant qu'on peut encore le transporter sans risque. Et monsieur qui n'est pas seulement en France ! En voilà une histoire !

– Il faut l'amener ici ! dit promptement Odile.

– C'est la grand-mère qui ne va pas être contente ! fit Jaffé en tournant et retournant sa casquette. Si par malheur la maladie était mauvaise, et s'il arrivait quelque chose au petit, et en l'absence de monsieur, encore ! on n'aurait jamais fini de dire que c'est la faute de madame !

Il regarda Odile dans les yeux, comme c'était son habitude dans les circonstances graves.

– Vous êtes sûr qu'on pourrait le transporter aux Pignons ? fit la jeune femme en feuilletant l'horaire des trains.

– Pour ça, j'en réponds ! Il n'est malade que d'hier. Au fond, ce n'est peut-être rien du tout, mais pourtant... enfin...

– Parlez donc, Jaffé ! il faut que je sache tout !

– On m'a dit dans le quartier qu'ils avaient eu ces jours-ci des cas de variole noire... Il y en a eu pendant le siège, c'est sûr... et il paraîtrait que ça recommence...

Odile avait sonné sa femme de chambre.

– Nous avons juste le temps d'aller le prendre, avant l'heure de l'express, dit-elle. Une bonne voiture, Jaffé, chez le loueur de la rue de Varennes, et ne perdons pas un instant.

Edme fut remis à Mme Richard sur sa demande ; vêtu de ses vêtements de lycéen, étranges sur ce corps grêle, qui grandissait trop vite, alangui par la fièvre, il descendit machinalement les escaliers, et suivit Jaffé sans faire de questions. Il était déjà très malade, et se laissait aller comme dans l'ivresse.

Après l'avoir installé dans la voiture, Jaffé chercha des yeux Mme Richard, pour la faire monter aussi ; elle vint par derrière et le tira à part.

– Il ne faut pas, dit-elle, qu'Edme me voie. Il ne m'aime pas assez pour que je veuille courir le risque de l'irriter. Montez avec lui ; à la gare, je prendrai un autre compartiment, et à Laroche, nous trouverons bien deux voitures.

Le voyage s'accomplit comme elle l'avait dit. Mme Brice, prévenue par dépêche, les attendait à la gare. Elle frissonna en voyant le visage tiré et bouffi à la fois du bel enfant qu'elle avait vu partir : plein de santé si peu de temps auparavant, mais elle ne dit rien. Pour éviter des explications dans un endroit aussi public qu'une gare, Mme Richard ne s'était pas montrée. Elle avait chargé Jaffé d'annoncer en quelques mots sa venue à la grand-mère.

Lorsque Edme, mis au lit, se fut endormi, en attendant le médecin de la famille qu'on avait mandé, Mme Brice descendit au salon, où l'attendait sa belle-fille.

Pendant la demi-heure qui venait de s'écouler, Odile avait vu surgir bien des souvenirs douloureux, dans cette pièce où elle avait passé, quelques mois auparavant, un des moments les plus pénibles de son existence.

Elle y était revenue de plein gré, après s'être promis de n'y plus rentrer qu'appelée, et elle se demandait si cette fois encore son cœur ne l'avait pas entraînée au-delà des limites de la prudence. Qu'aurait fait Richard ? Elle se le demandait dix fois par minute, et ne pouvait s'arrêter à une autre réponse : Richard aurait agi comme elle venait de le faire ; il eût soustrait l'enfant à l'air empoisonné de Paris, et l'eût remis aux mains de sa grand-mère qui l'avait élevé.

Et elle, la seconde mère, bannie de l'existence de cet enfant, qu'allait-elle faire ? S'exposer à de nouvelles insultes ? Pouvait-elle rester, si on ne l'en priait point ? Jaffé venait d'entrouvrir la porte, et de loin, à voix basse, il avait jeté à Odile cette phrase, qu'elle se répétait en la creusant de toutes façons :

– Puisque vous avez tant fait que de venir, à présent, madame, faudrait pas vous en aller !

Comme Odile se posait la question pour la millième fois, Mme Brice entra, si pâle, si lente, si différente d'elle-même, qu'Odile en eut pitié. Elle s'avança la main tendue, et sa voix même eut un accent brisé si peu semblable au cristal vibrant des jours passés, que c'était comme la voix d'un fantôme.

– Je vous remercie, dit Mme Brice ; vous me l'avez amené, c'est bien... c'est bien...

Odile la regardait un peu surprise ; la main fiévreuse serrait la sienne avec une étreinte amicale. C'était la première fois, depuis son mariage, que Mme Brice lui parlait avec quelque chaleur.

– Oui, – vous auriez pu le garder, le faire soigner chez vous ; en l'absence du père, vous pouviez...

L'idée n'en était pas venue à Mme Richard ; elle l'avoua tout simplement.

– C'était pourtant...

Mme Brice n'acheva point. Si Odile avait voulu se faire valoir auprès de son mari, elle avait là une occasion facile de jouer un rôle important, et du même coup de rendre à sa belle-mère toutes les mortifications qu'elle en avait reçues, en la tolérant chez elle et en le lui faisant sentir. De telles choses ne se doivent pas exprimer, surtout vis-à-vis de la personne intéressée, et Mme Brice se retint de parler.

– J'ai cru qu'il serait ici en meilleur air et dans de meilleures mains, dit Odile, non sans quelque embarras ; mais si vous vouliez me permettre de rester, madame, je crois que cela vaudrait mieux.

Mme Brice baissa les yeux : certes Odile s'était très bien conduite en lui amenant son petit-fils, mais la prétention de rester gâtait tout.

– Je veux dire, reprit Odile, qui sentait le cœur lui manquer, rester jusqu'à ce que le médecin ait prononcé sur la gravité de la maladie... Si ce n'est que peu de chose, je ne vous importunerai pas de ma présence inutile ; mais si, malheureusement, le caractère du mal prenait de la malignité, mon mari étant absent, il me semble que mon devoir serait d'être près de vous... et près de l'enfant...

– Avez-vous averti Richard ? demanda Mme Brice.

– Non... et je ne crois pas que ce soit utile de le faire avant que nous sachions si ce sera une maladie dangereuse ou une indisposition sans conséquence. La mission de mon mari est d'une telle importance, que je me ferais scrupule de ne pas lui laisser toute sa liberté d'esprit aussi longtemps que ce sera compatible avec mon devoir d'épouse, – elle s'arrêta un instant, puis acheva : – et de seconde mère.

Un silence suivit.

– Vous avez raison, dit Mme Brice en se redressant. Alors, voulez-vous monter à votre chambre ? Je crois que le médecin ne va pas tarder à venir.

Quelques journées s'écoulèrent, intolérablement lentes et lourdes. La grand-mère avait installé le jeune garçon dans une chambre voisine de la sienne, dont la porte de communication restait toujours ouverte, et elle ne permettait à personne d'y entrer, excepté à Jaffé, qui avait pris le métier de garde-malade avec la même tranquillité qu'il eût pris les guides de ses chevaux.

La maladie ne se déclarait pas nettement, et le docteur, inquiet, avait déjà parlé d'appeler en consultation un médecin célèbre, afin de dégager sa responsabilité ; la fièvre violente et la prostration d'Edme, qui n'ouvrait plus les yeux et qui ne parlait que pour demander à boire, lui faisaient redouter quelque terrible complication cérébrale. Mme Brice, dès le second soir, avait remis ses clefs à Odile, en la priant de donner les ordres nécessaires : elle sentait ses forces décroître et voulait lutter quand même ; la jeune femme, heureuse de se voir utile, prit sur-le-champ le commandement du personnel, qui lui obéit d'ailleurs avec une régularité parfaite.

# VIII

Le soir du quatrième jour, le médecin était parti plus soucieux encore ; si la maladie ne se prononçait pas, on pouvait tout craindre. Odile, qui venait de recevoir de sa bouche cette déclaration, en le reconduisant, rentra au salon, avec un douloureux sentiment d'impuissance, irritant parce qu'il provenait non de la force des choses, mais de la volonté de Mme Brice. Si elle avait pu entrer dans cette chambre d'enfant fermée pour elle !... Elle eût accepté facilement toutes les peines, toutes les difficultés.

La soirée était lugubre. Des nuages très bas couraient dans le ciel gris, chassés par un vent rapide ; des frissons secouaient l'eau des feuilles sur la terre déjà saturée de pluie : Odile, qui avait refusé les lampes, ouvrit la porte-fenêtre et s'avança sur le perron.

Qu'elle était triste, cette maison, jadis remplie de la turbulence d'Edme ! La mort, elle-même, aurait laissé dans cette demeure moins de sinistre lourdeur, d'appréhensions spectrales. La mort, étant un fait accompli, emporte avec elle tout le cortège de silences effrayants, de doutes anxieux, d'intolérables angoisses qui la précèdent. Elle est plus horrible, parce qu'elle est sans retour, mais la maison où elle a passé possède un calme douloureux qui repose presque des heures d'attente.

– Que dira Richard ? faut-il le prévenir ? pensait Odile, et son esprit, fatigué de tourner et retourner sans cesse la même idée, revenait sur lui-même, comme un animal captif, irrité de se voir condamné à un si étroit espace.

Une rafale arracha des feuilles à un tilleul, et ces épaves de la tempête se mirent à tournoyer et à se poursuivre dans les allées, jusqu'à ce qu'un nouveau coup de vent les dispersât au loin. Odile tressaillit et rentra. Elle ferma la porte avec une hâte craintive, comme les enfants effrayés par des contes de nourrice, qui, au sortir d'un corridor obscur, reviennent peureusement dans une chambre habitée.

– Je suis lâche ! se dit-elle. C'est cette inaction, cette inutilité qui me pèsent...

Elle s'approcha de la cheminée afin de sonner pour avoir de la lumière ; pendant qu'elle traversait la vaste pièce, de petits frissons d'épouvante lui passaient sur les épaules. Elle n'osait pas regarder du côté des fenêtres encore éclairées par la pâle clarté ; il lui semblait que, dans le cadre obscur, elle allait voir quelque apparition redoutable se dessiner sur le fond grisâtre.

Avant qu'elle eût atteint le cordon de sonnette, la porte s'ouvrit, et quelqu'un entra. Odile, malgré elle, poussa un léger cri d'effroi.

– Madame Richard, vous êtes là ? fit la voix de Jaffé, modérée à dessein.

– Oui, Jaffé, qu'y a-t-il ? répondit Odile sur le même ton, en s'avançant rapidement vers lui.

– Il y a qu'on va avoir besoin ici de quelqu'un qui ait la tête solide et la main légère...

– Parlez, Jaffé, au nom du ciel !

– Le petit a la petite vérole, les premiers boutons viennent de lui sortir...

– Oh ! fit Odile oppressée, l'affreuse maladie !

– Oui, et bien mauvaise... on court après le médecin, pour qu'il revienne le voir... mais il y a autre chose... Mme Brice vient de tomber sans connaissance au pied du lit du petit.

Odile fit un mouvement rapide vers la porte. Jaffé continua, sans hausser la voix :

– Sa femme de chambre et moi, nous l'avons mise sur son lit ; on est en train de la faire revenir ; elle a déjà ouvert les yeux une fois ; mais c'est la fatigue : elle n'a pas dormi depuis trois nuits... Qui est-ce qui va s'occuper du petit, à présent ?

– Moi, dit simplement Odile.

– C'est ce que j'ai pensé, répondit Jaffé avec la même simplicité ; mais il faut pourtant que madame réfléchisse.

– Est-ce que vous croyez que Mme Brice s'y opposerait ? demanda la jeune femme.

– Ça ne ferait rien du tout, parce que Mme Brice, je la connais : elle va tant qu'elle a des forces, ou plutôt tant qu'elle croit qu'elle en a ; et puis, elle tombe tout à coup, elle prend le lit, et c'est dans ces moments-là qu'on a de la peine à l'en tirer ! D'ici huit jours, pour le moins, elle ne gênera personne, excepté pour la soigner, et encore la femme de chambre est très capable et elle en a l'habitude. Mais ce que je voulais dire, c'est pour Mme Richard elle-même...

– Moi ? reprit Odile sur un ton d'interrogation.

– Oui ! Madame est jeune, madame est une belle personne, sans manquer au respect que je lui dois, et qui ne me permet pas d'avoir une opinion sur le compte de madame ; mais ce que j'en dis, ce n'est pas pour offenser madame, qui me le pardonnera...

– Jaffé, dit Odile, je ne comprends pas.

– C'est parce que madame n'y a pas songé, mais c'est la vérité ; et il faut que madame y songe bien auparavant, parce que, à la rigueur, je pourrais soigner le petit tout seul. Mais madame sait aussi bien que moi que la petite vérole, ça s'attrape ! C'est, comme les médecins disent, une maladie contagieuse, et l'on reste défiguré : voilà ce que je sentais qu'il était de mon devoir de dire à madame, en l'absence de M. Richard, qui est un grand malheur ; mais il faut s'en arranger tout de même, puisque M. Richard est absent pour le bien du pays.

Jaffé s'arrêta enfin, et le salon, devenu tout à fait obscur, sembla encore plus vaste et plus désert lorsque sa voix honnête et contenue eut cessé d'y résonner. Odile n'y avait pas pensé, c'était vrai ! Elle n'avait pas songé un instant que l'horrible maladie peut laisser une femme méconnaissable... Elle plongea au fond de son être moral, saisit sa conscience à deux mains et la regarda dans les yeux en lui disant : As-tu peur ?

– Peur de quoi ? fit la conscience, qui cherchait à se dérober.

– Peur qu'il ne t'aime plus, si tu restais défigurée, hideuse...

La conscience trembla et n'osa répondre.

– Mais s'il trouve son enfant mort, reprit Odile, crois-tu qu'il te le pardonne jamais ?

– Ce ne serait pas tout à fait ma faute, voulut plaider la conscience troublée.

– Et toi, te le pardonnerais-tu à toi-même ?

– Jamais ! répondit l'âme meilleure d'Odile en se redressant de toute sa hauteur.

Jaffé, muet, suivait cette lutte intime qu'il devinait et dont il attendait le dénouement avec anxiété. C'eut été si naturel qu'une belle personne comme « madame » songeât un peu à sa figure, et avec un mari qu'elle aimait tant...

– Jaffé ! dit Odile d'une voix singulièrement mélodieuse, vous avez fait votre devoir, et je vous en remercie...

Elle s'arrêta. Jaffé sentit une épouvantable déception s'abattre sur lui.

– Alors, dit-il d'un ton de politesse indifférente, madame veut que je lui fasse apporter les lampes ?

– C'est inutile ; allez devant, je monte.

Jaffé obéit silencieusement. Quand il eut refermé la porte, il se prit les deux mains l'une dans l'autre et se les serra si vigoureusement qu'elles en restèrent engourdies. Il n'était point de nature expansive ; mais quand sa satisfaction dépassait les bornes, il se donnait à lui-même une poignée de main. Ce soir-là, sa poignée de main dura deux bonnes minutes ; c'était fort explicable : il ne se souvenait pas d'avoir jamais été si content.

D'un air tranquille, Mme Richard entra dans la chambre de sa belle-mère qui venait de reprendre ses sens. Très pâle, soutenue par des oreillers, elle aurait eu l'air d'une mourante, sans l'éclat vif de ses yeux qui brillaient par intervalles, à mesure que la vie lui revenait sous l'influence du cordial qu'elle avait pris.

– Me voici, grand-mère, dit Odile avec une liberté de langage toute nouvelle pour elle en cette maison ; vous vous êtes sentie mal ? Mais vous êtes déjà mieux, cela se voit.

– Je ne suis plus bonne à rien ! répliqua Mme Brice, et ce pauvre enfant, qui va être abandonné...

Les larmes jaillirent de ses yeux, mais par un retour de sa fierté toujours militante, elle les réprima aussitôt.

– Abandonné ! grand-mère ? Et pourquoi ? S'il plaît à Dieu...

– Oui, je sais ; vous allez faire venir des Sœurs de charité...

– Si vous le désirez, certainement, mais permettez-moi de vous le dire, grand-mère, puisque vous ne pouvez plus vous tenir au chevet d'Edme jour et nuit, c'est moi qui vous remplacerai.

– Vous ? dit faiblement Mme Brice, dont les mains tressaillirent.

– Moi-même : qu'y trouvez-vous d'extraordinaire ? fit Odile en souriant.

– Vous savez le nom de sa maladie ?

– Sans doute.

– Et vous voulez le soigner ? Que dira Richard ?

– Si c'était mon fils, grand-mère, répondit Odile avec un léger tremblement dans la voix, ni vous ni mon mari ne songeriez à cela...

Mme Brice regarda longuement sa belle-fille, et à ses paupières vinrent des larmes que cette fois elle ne tenta point de dissimuler.

– C'est bien, dit-elle ensuite. Mais... c'est impossible, fit-elle tout à coup en rougissant, moitié d'émotion, moitié d'une honte tardive ; comment feriez-vous ? S'il vous voit il sera furieux. Le pauvre enfant ne vous aime pas, vous savez ?... et dans l'état où il est, on ne saurait lui en vouloir...

La voix de la grand-mère s'était faite très douce, presque suppliante. Odile lui répondit avec la même douceur :

– Hélas ! il se passera bien des jours avant qu'Edme puisse me voir ! Déjà, maintenant, ses pauvres chers yeux sont fermés...

Mme Brice se tourna vers le mur avec un sanglot.

– Ayez confiance, nous le sauverons, dit la jeune femme d'une voix chaude et encourageante ; soyez sûre que vous pouvez vous reposer sans crainte !

La grand-mère se retourna brusquement vers Odile et lui tendit les deux mains ; comme elle s'inclinait, Mme Brice l'attira sur son cœur et lui donna un baiser, un vrai baiser de mère.

– Que Dieu vous aide, lui dit-elle. Et maintenant, il faut que je dorme, car je sens que ma tête s'en irait.

# IX

Le médecin avait ordonné le repos complet pour la grand-mère, qu'il espérait d'ailleurs voir sur pied dans quelques jours. Lui aussi avait averti du danger Mme Richard, comme c'était son devoir, et, de même que tout le personnel de la maison, il avait été émerveillé du calme et de l'ordre que répandait autour d'elle cette âme ferme et généreuse.

Elle gouvernait comme un capitaine à son bord, sans bruit et sans secousses, avec une autorité bienveillante qui ne permettait aucune défaillance. Elle avait décidé qu'elle et Jaffé passeraient alternativement une nuit près du malade, afin de se ménager des forces pour la lutte, qui pourrait être longue, et, tout en se réservant d'y recourir si cela devenait nécessaire, elle avait décidé de se passer des soins des Sœurs de charité ; la crainte de la contagion, que celles-ci eussent méprisée, était assez forte dans l'esprit d'Odile pour qu'elle reculât devant l'idée d'y exposer d'autres vies que la sienne.

La grande difficulté avait été de ne point avertir Richard Brice.

Garder un silence absolu était impossible ; elle s'était contentée de lui annoncer qu'Edme, ayant manifesté les symptômes d'une fièvre éruptive, avait été transporté aux Pignons, où elle était restée en attendant qu'il fut rétabli. La nouvelle ainsi présentée avait l'air d'un incident ordinaire.

Richard répondit en demandant des nouvelles promptes par le télégraphe et des détails par lettre.

Un télégramme fut envoyé qui portait : « État stationnaire » et la lettre qui suivit était de nature à ne pas augmenter les inquiétudes du père, sans le tromper cependant, s'il voulait lire entre les lignes, et c'est là que la tâche d'Odile devint véritablement difficile.

Une vraie mère n'eût pas hésité un instant : ou bien elle eût appelé le père aussitôt, se sentant incapable de porter seule le fardeau de tant d'angoisses, ou bien elle eut pris tout sur elle, sachant, quoi qu'il arrivât, qu'elle serait justifiée aux yeux de son mari.

Odile n'avait ni le sentiment qu'elle pouvait tout risquer, ni celui qu'elle pouvait, sans encourir de reproche, troubler son mari dans les importantes fonctions qu'il remplissait au loin. Elle ne se rendait pas bien compte non plus de la gravité exacte de l'état d'Edme, et, comme tous les esprits très braves, de peur de s'exagérer le danger, elle cherchait à l'atténuer vis-à-vis d'elle-même. De plus, n'ayant aucune expérience des maladies des enfants, elle avait été extrêmement effrayée, dans les premiers jours de ses nouvelles fonctions, et l'assurance du médecin que ces symptômes du début n'avaient rien de vraiment redoutable, que le vrai danger se manifesterait plus tard, lui avait complètement fait perdre la notion réelle des choses.

Le mal était plus horrible encore qu'on ne l'avait d'abord supposé ; c'était une sorte de variole noire qui défigurait absolument le jeune garçon et atteignait son cerveau de la façon la plus redoutable. Il délirait sans cesse, tantôt appelant sa grand-mère avec une plainte vague, enfantine ; tantôt furieux, prêt à sortir du lit où Jaffé le contenait à grand-peine. Tout mouvement, cependant, lui était une torture ; il appelait alors son père, Jaffé, ses professeurs du lycée, les suppliant et leur ordonnant tour à tour de le délivrer des ennemis qui lui infligeaient de si intolérables supplices.

Puis, le délire s'épuisa, et fut remplacé par une torpeur effrayante, interrompue seulement de temps à autre par un gémissement ; et pour la première fois, depuis qu'il l'avait perdue, Edme appela sa mère.

Les souvenirs de sa petite enfance étaient-ils remontés à la surface de son esprit dans ce grand remous de toutes ses pensées ? La première fois qu'il prononça distinctement le mot : « Maman ! » Odile frémit de tout son être.

– Maman, à boire ! disait l'enfant, comme au temps où, tout petit, il avait eu soif la nuit dans son berceau.

Odile porta le verre aux lèvres brûlantes, qui burent avec avidité, puis écouta.

– Maman, j'ai mal ! continua le jeune garçon, et la plainte lassée revint sur ses lèvres pendant longtemps.

Odile, interdite, était restée immobile devant le lit où gisait son ennemi, l'ennemi de son bonheur. Qu'il était maigre, hâve, affreux, ce bel enfant qui la bravait si cruellement depuis des années ! Une consolation demeurait : durant sa maladie, Edme n'avait jamais parlé d'elle ; jamais, dans ses pires instants de démence, il n'avait fait allusion à celle qu'il appelait toujours « madame ».

– Maman ! dit l'enfant malade, d'un ton d'indicible prière, ma tête brûle, oh ! j'ai si mal !

Lentement, comme attirée par un aimant, Odile se pencha vers le lit ; une petite place blanche était restée intacte sur le front défiguré, méconnaissable ; elle la regardait avec une convoitise jalouse. Tout son cœur s'en allait vers ce petit, qui allait peut-être mourir, et c'est alors qu'elle comprit combien elle l'avait aimé.

Oui, elle l'avait aimé tendrement, passionnément, ce premier-né de son mari, elle qui ne devait pas être mère : le cri de ses entrailles s'élevait vers lui, comme le cri de la soif dans le désert, et pendant qu'elle le regardait, muette, toute son âme lui disait : « Mon enfant ! »

Alors, se penchant toujours davantage, elle s'inclina si bas que ses lèvres touchèrent la petite place blanche, et y restèrent appuyées.

C'était le second baiser qu'elle mettait sur ce front rebelle : – le premier, Edme l'avait essuyé avec sa manche ; – elle se releva, prise de frayeur : s'il l'avait sentie, devinée, s'il allait la repousser avec horreur... si elle lui avait fait mal, excitant encore les démons du délire qui l'avaient quitté pour un moment !

– Maman, répéta Edme en levant péniblement ses bras vers elle ; maman, embrasse-moi encore !

Elle n'y put résister : les bras de l'enfant retombèrent sur ses épaules, et elle serra contre son cœur la pauvre tête endolorie, en lui donnant le baiser qu'il demandait et qu'il lui rendit. Il dénoua ses bras et s'endormit d'un lourd sommeil.

– Qu'ai-je fait ? pensa Odile, revenant soudain au sentiment du réel ; elle se lava aussitôt les mains et le visage, puis revint s'asseoir auprès du lit, et ses larmes coulèrent, abondantes et faciles.

Qu'importait, après tout, qu'il y eût du danger pour elle ? Ne venait-elle pas d'éprouver une des plus délicieuses impressions de sa vie, et qui sait si la pensée du danger n'y ajoutait pas quelque chose de plus tendre et de plus héroïque ? L'enfant pouvait oublier, il oublierait sans doute, et la caresse qu'elle avait reçue ne s'adressait pas à elle ? Si fait, à elle ! Le baiser de l'enfant malade avait été donné à celle qui l'avait pris dans ses bras, quelle qu'elle fût, à celle qui, pendant cet instant suprême, avait été sa mère, malgré tout !

– Ma fille, dit Mme Brice à voix basse, vous avez fait une imprudence qui peut vous coûter la vie !

Odile se retourna. Elle n'avait pas vu sa belle-mère, qui s'était avancée très lentement et qui l'avait aperçue de loin, par la porte ouverte sur une longue enfilade de chambres communiquant entre elles.

– Je vous ai appelée, vous ne m'avez pas entendue ; ma voix est si faible... Je ne l'aurais pas permis... mon fils ne l'aurait pas permis... Mais vous êtes une brave et une bonne créature... Embrassez-moi !

# X

Le docteur, après avoir examiné le sommeil profond, semblable à la mort, dans lequel Edme était tombé après sa crise de fièvre, porta un arrêt peu rassurant. Les forces étaient totalement épuisées : la nuit qui allait suivre pouvait être la dernière ; si l'enfant sortait de cette torpeur, il serait probablement sauvé, mais la présence d'un confrère savant était réclamée par le vieux praticien pour mettre à couvert sa responsabilité.

– Pourquoi ne m'avez-vous pas dit cela plus tôt ? s'écria Odile. J'aurais prévenu mon mari ! Maintenant, quoi que je fasse, il ne peut plus revenir à temps...

Le médecin répondit que le tour fâcheux pris par la maladie était tout à fait inattendu, et qu'il en était surpris lui-même. Il partit, fort tourmenté, promettant de revenir le lendemain dès l'aube.

Odile envoya des télégrammes et donna des ordres ; ayant pris la résolution de ne pas effrayer Mme Brice, qui, par bonheur, dormait lors de la visite du médecin, elle appela Jaffé et lui fit connaître la vérité tout entière, le priant de rester à portée de la voix, pour le cas où elle aurait besoin d'aide. Elle fit ensuite sa toilette de nuit, passa une robe très simple et revint s'asseoir dans la chambre du malade, préparée à une longue et redoutable veille.

Le premier soin d'Odile avait été d'éloigner l'enfant du voisinage de Mme Brice. La chambre était une vaste pièce formant aile dans l'originale bâtisse des Pignons. Quatre fenêtres sur trois côtés l'inondaient de lumière ; à vingt reprises durant le jour, Odile ouvrait une des fenêtres pour renouveler l'air, qui devait toujours être pur et léger. Cette nuit-là, on ne ferma point les volets ; il semblait à Mme Richard que le jour ne viendrait jamais assez tôt, et elle voulait voir naître les premières clartés de l'aube.

Tout était tranquille dans la maison : on ne se fût jamais douté que la vie et la mort se livraient le grand combat dans cette atmosphère silencieuse. Odile avait essayé de dormir, le sommeil s'était refusé à venir.

Elle resta alors étendue sur la chaise longue, très calme en apparence, les yeux fermés, pour les ménager, car ils lui causaient une douleur cuisante, et elle pensait à toute sa vie, à celle de son mari, à celle de l'enfant qui était peut-être mesurée et dont elle voyait s'écouler les dernières heures.

Qu'adviendrait-il si Edme mourait ? que dirait Richard, tenu à l'écart de ses derniers moments ? Elle sentit que maintenant elle pouvait regarder son mari en face : le baiser donné par son fils la lavait de tout reproche. Si elle avait mal fait, c'était en voulant bien faire ; nul, pas même le père privé de la dernière caresse de son enfant, ne pourrait lui reprocher d'avoir trop peu aimé celui qui ne serait plus.

La nuit suivait son cours : aux intervalles fixés, elle essayait de donner à Edme la potion ordonnée. Au commencement, il la prenait sans résistance ; mais à mesure que la nuit s'avançait, il ne voulut ou ne put plus desserrer les lèvres. Vainement elle essaya de tous les moyens ; Jaffé fut impuissant comme elle ; la force même était inutile. Elle renvoya Jaffé, et resta près du lit, anxieuse, comptant les minutes.

L'heure passa où les médecins de Paris auraient pu arriver s'ils avaient pris le premier train en partance, et Odile se trouvait encore seule. Edme, rigide sous les draps, avait l'air d'un cadavre, sa respiration entrecoupée était le seul signe de son existence. La contention de sa pensée stupéfiait la jeune femme dans un engourdissement douloureux : « Pourvu qu'ils arrivent à temps ! » se disait-elle vingt fois par minute, sans s'apercevoir que c'était toujours la même chose, s'émouvant de cette même idée comme si chaque fois c'eût été imprévu.

Une très faible lueur grise parut dans le ciel : ce n'était pas l'aube, c'était un éclaircissement de la nuit ; la forêt, le parc étaient encore invisibles, mais on eût cru qu'aux fenêtres pendaient de grands suaires gris, bien plus effrayants que l'obscurité complète.

Odile se repentit d'avoir regardé au dehors, et le frisson de la peur, ressenti le soir où elle avait pris sa veille maternelle, vint lui secouer le corps et l'âme. Elle tourna la tête : derrière elle, la pièce où Jaffé dormait, – ou ne dormait pas, – puis la longue enfilade de chambres inhabitées ; devant elle, l'enfant muet, immobile... Elle se leva doucement, avec un tremblement de fièvre, et alla fermer la porte des chambres vides. En revenant, elle jeta un regard sur le canapé de Jaffé. Il s'était endormi, très las... Elle revint près du lit.

La veilleuse cachée par un écran brûlait tranquillement ; nul bruit, pas même un souffle. Edme respirait si peu qu'il fallait se pencher sur lui pour l'entendre. À plusieurs reprises, Odile l'écouta... chaque fois plus violemment saisie de l'idée que tout était fini... Il lui faisait peur maintenant, cet enfant grandi si vite en quelques jours, maigre comme un squelette, au visage tuméfié, horrible à voir, l'enfant qu'elle avait embrassé la veille...

Le gris envahissait le ciel, de plus en plus sinistre ; on eût dit que de grandes loques inégales pendaient au dehors ; les masses sombres des bois, d'une couleur indécise, avaient des formes vagues de tombeaux gigantesques ; le frisson aigu, douloureux, de cette heure glacée envahissait Odile, dans la vaste chambre, si haute de plafond... Elle était restée debout... Tout à coup, l'horreur de la réalité la saisit, elle se sentit pauvre, seule, misérable ; il lui sembla que tout croulait en dedans et en dehors d'elle, et qu'elle cherchait une épave pour s'y accrocher.

Elle regarda autour d'elle le lit pareil à un catafalque, la lueur funèbre de la veilleuse, le ciel plein d'affres, et comme si la tête lui tournait, elle alla s'abattre au pied d'un crucifix placé au centre d'un panneau, sur le mur.

– Ô mon Dieu ! dit-elle tout bas, tendant ses mains, buvant ses larmes, mon Dieu ! sauvez mon fils ! mes entrailles ne l'ont point porté, il n'a point vécu dans mes bras, mais c'est mon fils ! Vous me l'avez donné, les hommes me l'ont donné, c'est mon fils, et je l'aime ! Et puis, j'en réponds devant son père ! Que dira son père, si je lui rends son fils mort ? Il dira que je ne l'ai point assez aimé, qu'une mère l'aurait sauvé, qu'elle aurait su, deviné, inventé ce qu'il fallait pour le sauver, et que moi, ignorante, inutile, je n'ai rien su faire ! Ô mon Dieu ! mon Dieu ! mon Dieu !

Elle se laissa glisser tout entière au pied de la croix, dans l'anéantissement de l'impuissance, pleurant sans le savoir, lasse et brisée, navrée surtout ; la pensée qu'elle aimerait mieux mourir tout de suite, pour ne pas savoir comment cela finirait, lui revenait par moments ; elle avait fermé les yeux pour échapper aux terreurs visibles de cette aube cruelle, et elle resta là, couchée par terre, longtemps, trouvant dans l'engourdissement de sa peine une sorte de repos, presque de sommeil.

Elle avait peut-être réellement dormi lorsqu'elle se réveilla en sursaut.

On avait parlé !

Les yeux à peine ouverts, elle les referma instinctivement, une lueur rose intense emplissait toute la chambre et la fleurissait. Elle regarda autour d'elle, l'instant d'après, et vit l'aurore entrer joyeusement par les quatre fenêtres. La veilleuse, qui agonisait, crépita deux ou trois fois, puis s'éteignit brusquement, et tout sembla plein de vie et de lumière.

– À boire ! répéta la voix d'Edme presque claire et distincte.

Tremblante, la main mal assurée, Odile versa un peu de tisane tiède dans une tasse et l'approcha des lèvres de l'enfant. Instinctivement, il se souleva sur l'oreiller pour boire plus vite. En se laissant retomber, il chercha une place moins chaude et s'accota avec une expression de bien-être.

Après un silence, il dit très distinctement :

– Grand-mère ?

Odile restait pétrifiée, n'osant y croire... Jaffé, qui s'était éveillé au premier son, s'approcha du lit et répondit en parlant très haut, car Edme était sourd :

– Elle dort, mon chéri, c'est Jaffé qui est là.

– Elle dort ? c'est bon, répondit l'enfant. Et se retournant du côté du mur, il se rendormit aussitôt.

Une joie muette, inouïe, gonflait le cœur d'Odile ; elle n'osait remuer, de peur de la faire tomber en poussière. Les yeux fixés sur le jeune dormeur, elle écoutait encore, et le son de cette voix rauque, étouffée par la fièvre, lui avait laissé dans les oreilles une musique céleste.

– Madame, lui dit très doucement Jaffé, il est sauvé !

Odile se retourna tout d'une pièce et regarda le brave homme avec une expression angélique.

– Je le crois, répondit-elle. Mais ne le dites pas à Mme Brice avant que les docteurs soient venus.

Jaffé fit un signe de tête, et s'en alla sans bruit.

Odile se dirigea lentement vers la fenêtre la plus éloignée du lit, et l'ouvrit toute grande. La délicieuse fraîcheur du matin entra avec les premiers rayons du soleil. La jeune femme se baigna un instant dans cette lumière et cette joie : le jardin sentait bon ; les grandes loques grises du crépuscule matinal étaient devenues de charmants nuages dorés qui flottaient doucement dans l'azur ; une brume blanche, celle des belles journées brûlantes de l'été, estompait encore le bas du ciel, et les oiseaux chantaient à perdre haleine dans les massifs du parc ; un merle surtout semblait se répandre en chansons, jusqu'à en mourir.

– Ô mon Dieu ! je vous remercie ! murmura Odile en joignant les mains vers le ciel radieux.

Au même instant, la voiture qui ramenait les médecins entrait dans la cour.

# XI

L'examen du petit malade donna des résultats aussi satisfaisants que possible ; une dépêche de Richard, arrivée quelques heures après avec ce seul mot : « Edme ? » reçut en réponse un autre mot unique : « Sauvé ! » Et Mme Richard, enfin délivrée de son horrible anxiété, crut que tout son être allait se fondre et mourir dans une inexprimable et heureuse langueur.

Ce n'était pas fini, cependant ; la période dangereuse était terminée, la période insupportable commençait. Edme, en revenant à la vie, revenait aussi à ses caprices, à ses rébellions, excitées encore par l'irritabilité des malades. Par une circonstance que Mme Richard se trouvait contrainte de dire heureuse, la surdité, au dire du médecin, devait se prolonger pendant une dizaine de jours encore, les yeux ne devaient guère s'ouvrir plus tôt, et Odile pouvait tranquillement continuer pendant ce temps ses fonctions de garde-malade, sans courir le risque d'être reconnue.

D'intolérables démangeaisons dévoraient l'enfant, qui, instinctivement, portait les mains à son visage. La conservation de ses traits dépendait maintenant du plus ou moins de patience et de présence d'esprit de ceux qui l'empêcheraient d'écorcher les croûtes de ses boutons. C'est là que Mme Richard fit montre de ses rares qualités ; Mme Brice s'était crue d'abord capable de remplir l'office, tout simple en apparence, de retenir d'un mouvement prudent la main machinalement levée. En une demi-heure, elle se trouva fatiguée par l'attention que réclamait cette surveillance et le développement de force que nécessitait le geste cent fois réitéré.

Jaffé, qui la remplaçait, n'avait pas l'autorité nécessaire ; habitué à ne l'écouter que dans la limite de sa fantaisie, Edme secouait la main protectrice lorsque, à l'épiderme plus grossière, il reconnaissait celle du domestique. À la fin de la première journée, Mme Brice, excédée, rendue plus sensitive encore par sa faiblesse, déclara au docteur qu'on n'y pouvait tenir, et que cette convalescence achèverait de tuer tous les habitants des Pignons.

Il n'y a qu'un recours, madame, répondit le médecin. Si M. Edme ne veut pas, – ou ne peut pas, car cet instinct-là échappe parfois à tout raisonnement, – ne peut donc pas s'abstenir de se gratter, il faudra lui attacher les mains.

Mme Brice, toujours autoritaire et prompte, voulait qu'on le fît à l'instant même ; Odile, plus parlementaire, obtint qu'on essaierait auparavant de convaincre Edme de la nécessité d'une patience héroïque.

– Tu sais, Edme, dit la grand-mère, si tu ne veux pas te tenir tranquille, on va t'attacher les mains.

Le visage de l'enfant se contracta, avec une incroyable expression d'orgueil humilié.

– Je ne remuerai plus, dit-il, grand-mère : ne m'attachez pas.

À partir de cet instant, il fit d'incroyables efforts pour se résister à lui-même, et souvent il y parvint, mais à d'autres moments où sa volonté mal éveillée le rendait à l'inconscience, il se laissait aller, au grand effroi de Mme Brice, qui tenait prodigieusement à la beauté de son cher garçon.

Odile demanda alors à être chargée de cette garde, spécialement aux heures où, comme une fièvre, la tentation revenait régulièrement avec la somnolence ; elle s'acquitta de ce soin avec tant de vigilance, que le léger contact de sa main arrêtait le geste commencé, sans troubler le repos du convalescent.

Au bout de quelques jours, Odile s'aperçut que la sensibilité et les sentiments affectueux revenaient dans cette âme pour ainsi dire absente d'elle-même ; Edme disait merci pour les services rendus, et même un sourire s'ébauchait parfois sur ses lèvres encore défigurées. À plusieurs reprises, Odile, en le touchant de la main pour l'avertir, sentit qu'il retenait légèrement les doigts qui l'avaient effleuré ; c'était un remerciement muet, presque une caresse.

« Ne pouvant ni me voir ni m'entendre, pensa-t-elle, il me prend pour sa grand-mère. » Elle serra à son tour la main débile et frêle.

Un matin, après être venue relever de garde Jaffé, qui avait passé la nuit dans la chambre d'Edme, désormais tout à fait calme, elle se mit à ranger les objets épars çà et là. La grande pièce où elle avait passé une si terrible nuit d'agonie morale n'avait plus rien de lugubre à ses yeux : avec l'entrée du soleil et du salut, elle avait perdu son aspect sinistre, et la jeune femme s'était prise à l'aimer à mesure que la convalescence faisait des progrès surprenants.

Lorsqu'elle eut terminé son rangement, elle s'assit près d'une fenêtre ; son activité d'autrefois avait fait place à un abattement qu'elle attribuait à son extrême fatigue, et, au lieu de prendre son ouvrage ou un livre pour occuper ses heures, comme elle l'eût fait jadis, elle se laissa aller à une rêverie dont la mélancolie n'était pas sans charme.

Richard allait revenir, il le lui avait fait savoir : il trouverait sa mère et son fils bien portants ; le capitaine Odile avait bien gouverné son vaisseau pendant l'absence de l'amiral ! Elle était très faible, elle aurait besoin d'un peu de repos ; laissant l'enfant achever sa complète guérison auprès de sa grand-mère avec le bon Jaffé, ils s'en iraient tous deux quelque part, tout seuls, se retremper dans un air nouveau... Elle avait besoin de la tendresse et de l'appui de son mari ! Les jours qui venaient de s'écouler lui paraissaient des années ; il lui semblait que le bras ferme et le regard sûr de Richard l'avaient abandonnée depuis si longtemps, qu'elle en avait le cœur malade.

Depuis son arrivée aux Pignons, ce jour néfaste... – n'y avait-il que quinze jours, vraiment ? était-ce possible ! – elle avait consolé tout le monde, mais personne ne l'avait consolée ; elle avait toujours donné, jamais reçu... Ce n'était pas étonnant qu'elle se sentît si fatiguée ! Mais l'avenir serait bon ! Après ce petit voyage dont elle avait si grand besoin, quand ils reviendraient, ils trouveraient la famille reconstituée ; elle avait désormais sa place entre son mari et son fils... Car Edme saurait qu'elle l'avait soigné, et quand il le saurait, pourrait-il plus longtemps lui tenir son cœur fermé ?

À cette pensée, elle tourna vers le lit sa tête un peu alourdie et tout à coup resta immobile de surprise : les yeux grands ouverts, le coude appuyé sur le bord du lit, Edme la regardait.

Dans ces yeux d'adolescent, devenus soudain plus sérieux, plus mâles, vibrait une lumière douce et tendre, et au mouvement qu'elle fit, les lèvres s'entrouvrirent.

– Maman ! dit le jeune garçon.

Elle se leva, effrayée, craignant le retour du délire.

– Maman, répéta Edme en lui tendait la main, c'est vous qui m'avez soigné, je le sais ! Je vous ai entendue parler, on me croyait sourd, mais j'entendais très bien, depuis deux jours surtout ; et puis, vos mains ne sont pas pareilles à celles de ma grand-mère ; je les distinguais parfaitement...

Elle s'était approchée tout près, tout près : il tenait dans la sienne la main d'Odile.

– Ma chère maman, dit-il en levant sur elle ses yeux encore gonflés, mais pleins de larmes, vous m'avez sauvé la vie ; Jaffé le disait hier à grand-mère, pendant que vous n'étiez pas là ! Il y avait du danger pour vous ! Et moi, j'avais été si méchant ! Comment avez-vous pu, pour moi qui n'en valais pas la peine... Oh ! pardon, pardon !

Il cacha sur l'oreiller son visage couvert de confusion ; Odile sentait son âme se dilater et monter au ciel.

– Mon cher petit, dit-elle, je vous ai toujours aimé, et maintenant, je suis bien heureuse !

Mme Brice, en entrant une heure après, les trouva causant, la main dans la main.

# XII

C'était une joie enfantine, absurde, dans la vieille demeure des Pignons, que le jeune maître eût si promptement recouvré toutes ses facultés ; c'était de quoi en chanter *Alléluia* jusqu'au nouvel an. Richard arriverait le surlendemain, et Edme voulait absolument être levé pour ce moment-là. Le docteur ne disait pas non, tout en se réservant, par prudence.

Odile allait et venait dans la maison, avec un sourire sur ses lèvres tirées, un bon regard dans ses yeux creusés.

– Mon Dieu ! dit Mme Brice à Jaffé la veille du retour de Richard, qu'est-ce que va dire mon fils en voyant sa femme dans cet état-là ?

Jaffé hocha la tête sans répondre ; il n'était pas content du tout, et quand il n'était pas content, on ne lui eût pas fait desserrer les lèvres pour un empire.

Le lendemain, de grand matin, il était à la gare pour y rencontrer son maître. Pendant toute la route, questions et réponses ne s'arrêtèrent pas : à tout ce qui concernait la santé d'Odile, le brave homme répondait d'une manière brève et évasive qui ne satisfaisait point Richard.

– Enfin, elle n'est pas malade ? demanda celui-ci, impatienté.

– Non, monsieur, pas encore, répondit Jaffé.

En arrivant, Richard courut à la chambre où Edme, vêtu de ses anciens habits, trop larges et trop courts, avait été transporté, pour l'arrivée de son père, très loin de la partie de la maison où la maladie avait eu lieu et où toutes les précautions avaient été prises pour la désinfection.

Ce qui se passa entre le père, le fils et la grand-mère n'a pas besoin d'être raconté. Après les premiers embrassements, Richard chercha sa femme autour de lui.

– Elle n'a pas pu se lever, dit Mme Brice ; elle est tellement faible et fatiguée...

– Je vais la voir, fit Richard en se dirigeant vers la porte.

Jaffé, qui s'était absenté un instant, reparut et l'arrêta respectueusement du geste.

– Avec la permission de monsieur, dit-il, madame fait prier monsieur de ne pas entrer dans sa chambre ; elle fait même prier monsieur de repartir tout de suite, et j'ai fait mettre des chevaux frais au phaéton qui est devant la porte ; et madame prie monsieur, s'il a de l'amitié pour elle, de s'en aller à l'instant même, parce que madame pense qu'elle a la maladie, et il est inutile que monsieur l'attrape, attendu qu'il n'y aurait personne pour soigner monsieur.

Richard, pâle d'épouvante, était resté fixé sur place.

– Et si monsieur veut bien descendre, reprit Jaffé, je crois que monsieur fera bien.

– Ah ! dit Richard, c'est trop cruel !

– Elle n'était pas si mal hier au soir, dit Mme Brice, presque aussi douloureusement émue que son fils ; mais depuis quelques jours, elle n'était plus elle-même...

– Oh ! ma chère femme ! fit Richard avec une expression d'angoisse qui arracha des larmes à sa mère. Qui va la soigner ? Ce serait mon devoir d'être là, de lui rendre ce qu'elle a fait pour mon fils...

– Ce serait de la folie, dit Mme Brice avec autorité ; nous ferons de notre mieux, et, sois-en sûr, Richard, tu ne saurais mieux faire que nous. Jaffé a raison, pars sur-le-champ.

– Et j'ai ordre de ramener une Sœur de charité, dit le domestique. Allons, monsieur, il ne s'agit pas de manquer le train !

– Ma chère femme ! dit Richard en s'arrêtant après avoir fait deux pas, il me semble que je fais une lâcheté, que j'abandonne mon drapeau !

– Papa, dit tout à coup Edme, qui était resté très grave, il n'y a qu'une personne qui puisse soigner maman sans danger, c'est moi. Je te promets, tout faible que je suis, que je ne la quitterai que si elle me renvoie.

Ce mot « maman », si nouveau dans la bouche de son fils, ébranla la fermeté que Richard avait su conserver ; il serra Edme dans ses bras avec une tendresse qui lui sembla jaillir pour la première fois des sources de son cœur.

– Je te la laisse, dit-il : souviens-toi que tu lui dois la vie, et que jamais, tu l'entends bien, mon fils ? jamais nous ne serons quittes envers elle.

Il partit, le cœur brisé, n'ayant plus qu'une crainte, celle de se voir pris à son tour, car il sentait bien qu'Odile en éprouverait une irrémédiable douleur, et pendant une dizaine de jours, on le vit aller et venir dans Paris, occupé en apparence des affaires les plus graves, en réalité ne songeant qu'à la chambre des Pignons où sa femme souffrait ; mais heureusement, ne soupçonnant pas la profondeur du chagrin qu'elle avait éprouvé en l'éloignant d'elle.

Ne pas le voir, ne pas seulement l'entendre, savoir que le moment rapide comme un éclair où elle eût lu dans les yeux du cher mari tout ce qu'elle avait le droit d'y lire, pouvait être pour lui le poison qu'elle voulait écarter, cela avait été pour Odile un renoncement semblable à celui des femmes qui prennent le voile.

Le reverrait-elle jamais, cet être cher, à qui elle avait donné sans compter sa beauté et sa vie ? Et si elle mourait, elle si faible déjà, si lasse, si mal préparée à subir une telle épreuve ?

Elle mourrait donc sans l'avoir revu ? Et même morte, elle ne recevrait pas le dernier regard, la dernière caresse qu'on accorde aux êtres chers avant de clore leur cercueil ! Il y avait là une amertume intolérable.

Comme elle plongeait plus avant dans son âme déchirée, avec une intensité de misère qui lui donnait envie de pleurer sur elle-même, une voix encore un peu rauque, mais déjà bien raffermie, résonna à ses oreilles.

– Maman, j'ai promis à mon père de ne vous quitter que lorsque vous m'en donneriez l'ordre. Vous plaît-il que je reste un peu avec vous ? Papa m'a dit qu'il vous laissait à moi, pour vous soigner.

Edme s'était approché d'elle ; elle le regardait, les yeux alourdis, la tête brûlante, pensant que cette voix d'enfant était une goutte d'eau fraîche pour sa soif.

– Et nous pouvons nous embrasser, maman, reprit le garçonnet en s'asseyant tout près d'elle ; il n'y a que moi qui puisse vous embrasser.

Il mit un gros baiser sur la joue d'Odile.

– Vous souvenez-vous, quand j'étais si mal et que vous m'avez embrassé ?

– Tu t'en souviens ? murmura la jeune femme, vaincue par ce souvenir.

– Oui : c'est singulier, n'est-ce pas ? J'ai oublié presque tout le reste, et je me rappelle très bien cela ; mais alors, je ne vous connaissais pas, je croyais que c'était maman.

Il resta très grave un instant, puis reprit :

– Ma vraie maman, je pense qu'elle est contente de vous, là-haut, car vous êtes pour sûr ma seconde mère !

– Va-t'en, mon cher petit, dit Odile en lui serrant la main.

Jaffé, sur le seuil, emporta l'enfant dans ses bras, et Odile pleura tant qu'elle eut des larmes.

Sa maladie fut courte et bénigne ; malgré le grand ébranlement nerveux qui l'avait précédée, la joie intérieure et la bonne envie de vivre, qui étaient si fortes au cœur de la jeune femme, furent le puissant auxiliaire d'une constitution robuste. Trois semaines plus tard, Odile vit revenir son mari, délivré de toute crainte, et elle put enfin voir autour d'elle sa famille, unie dans un esprit d'amour et de reconnaissance pour elle.

– Et Yveline ? demanda-t-elle tout à coup.

– Ne me parlez pas de Mme de la Rouveraye ! s'écria Mme Brice. Je suis son amie depuis une quarantaine d'années, mais je n'ai jamais vu femme pareille. Pendant toute la maladie d'Edme, n'envoyait-elle pas prendre de ses nouvelles dans un pré ?

– Dans un pré ? demanda Richard.

– Oui ! Le pré d'un voisin ! Elle n'a jamais voulu permettre à ses gens de pénétrer sur nos terres, tellement elle avait peur de la contagion ! Elle avait choisi un pré à mi-chemin, et pas à nous !

Tout le monde riait, excepté Mme Brice qui était visiblement irritée.

– Elle a refusé de me laisser voir ma fille, dit Richard, sous prétexte que j'étais venu ici.

– Père, dit Edme, l'hiver prochain, quand nous allons être à Paris, tous ensemble, tu vas reprendre aussi ma sœur Yveline ?

Le visage de Richard s'assombrit.

– Vous aurez du fil à retordre, dit Mme Brice. Il y a quarante ans que je la connais, Mme de la Rouveraye, et elle a toujours été entêtée ! C'est bon pour une grand-mère comme moi d'abdiquer et de venir demeurer au rez-de-chaussée de votre maison ! Mais Mme de la Rouveraye... vous ne l'y prendrez pas !

– Comme ça, grommela Edme, je n'aurai jamais de sœur, et papa jamais de fille ?

– On fera pour le mieux, mon cher enfant, dit Odile en lui donnant un baiser.

# XIII

Les portes de la Madeleine s'ouvrirent toutes grandes, et le roulement des orgues éclata au dehors, comme une tempête d'harmonie, pour la fin de messe de la première communion. C'était un beau jeudi de mai, si radieux, si brûlant qu'il défiait toutes les ardeurs de juin ; les marronniers fleuris de la place avaient l'air de grands bouquets préparés pour la circonstance ; une foule de dames bien mises s'étageaient sur les marches, abritées par les ombrelles multicolores ; en bas, sur le trottoir, une masse de gens de toutes les classes regardaient avec sympathie à l'intérieur de l'église, et ceux qui remontaient la rue Royale en venant de la place de la Concorde, par cette journée délicieuse, voyaient, au fond du temple sombre, l'autel étincelant de lumières, entouré jusqu'aux frises, couvert jusqu'au tapis, de blanches fleurs de mai, en l'honneur du mois de Marie.

Des voix fraîches d'enfants chantèrent un cantique accompagné discrètement par l'orgue ; puis, sur le tapis rouge, étendu comme pour des mariés, les communiants et les communiantes s'avancèrent en longues files ; soudain, comme si un grand vol de cygnes s'était abattu sur les marches de l'église, l'air se trouva rempli de voiles blancs et de délicates mousselines.

Pendant que l'orgue tonnait ses derniers accords qui faisaient trembler les colonnes du portique, les voiles, les ceintures et les jupes blanches, toutes ces jolies choses tendres et flottantes, agitées par une douce brise de mai, se répandirent jusque sur la place, et toutes les femmes qui se trouvaient là, mères ou non, saluèrent du sourire les fillettes qui passaient d'un air grave, escortées de leur famille.

Yveline, avec Mme de la Rouveraye, monta dans le coupé qui les attendait. Une petite communiante, vêtue de mousseline à bon marché, avant de s'en aller à pied, avec sa mère en bonnet de linge, regarda un instant, non sans une sorte de convoitise timide, l'enfant riche, parée aussi de mousseline ; mais quelle différence entre les deux tissus ! Ils n'avaient de commun que le nom. Puis, se rappelant sans doute qu'en un pareil jour surtout, tous les enfants conviés à la même fête étaient frères et sœurs, la fillette pauvre sourit d'un bon sourire confiant en regardant la fillette riche.

Yveline, étonnée, rendit le regard ; la petite fille du peuple était laide, couverte de taches de rousseur que faisait encore ressortir la blancheur de son costume ; mais les yeux étaient si bons, le sourire de cette large bouche exprimait une si touchante bonhomie, que la jeune aristocrate rendit aussi le sourire de ses lèvres fines et discrètes. Le coupé se mettait en mouvement : Yveline se pencha un peu au dehors, distraite par une autre pensée.

– Assieds-toi donc, dit Mme de la Rouveraye : tu n'es pas convenable.

– Je regardais pour savoir où étaient passées grand-mère Brice et Mme Richard, répondit Yveline en obéissant. Je pense qu'elles sont montées dans le landau avec Edme et papa.

– Tu auras le temps de les voir, dit la grand-maman, avec la légère pointe d'ironie qu'elle accordait à sa vieille amie depuis ce qu'elle appelait « sa conversion ».

Au fond de son cœur, toute seule avec elle-même, Mme de la Rouveraye accusait Mme Brice d'avoir « tourné casaque ». C'est du moins cette expression vulgaire qu'avait employée Jaffé lorsqu'il s'était exprimé à ce sujet avec Richard en l'une des rares occasions où, pour lui parler, il avait à peu près négligé d'employer la troisième personne.

– Mme de la Rouveraye en veut à Mme Brice, avait dit cet homme étonnant, parce qu'à présent elle aime Mme Richard. – Mme de la Rouveraye a dit un jour comme ça que c'était une défection. Moi, je n'ai pas le droit d'avoir une opinion, comme de juste, mais enfin, il me semble qu'il n'y a pas de déshonneur à se tromper, c'est certain, mais il n'y en a pas non plus à s'apercevoir qu'on n'avait pas raison. Certes, je ne me permettrai pas de penser que Mme Brice a pu avoir tort autrefois, ça serait lui manquer de respect, et j'en suis incapable, mais ce n'est pas monsieur qui me contredira si j'avance qu'à présent sa mère a bien plus raison qu'auparavant. Et quant à Mme Brice, il est clair qu'elle ne me fait pas de confidences, mais un jour qu'elle était en colère, elle m'a dit, en parlant de Mme de la Rouveraye : « Jaffé, je ne lui pardonnerai jamais, pendant la maladie d'Edme, d'avoir fait prendre de ses nouvelles dans un pré ! »

– C'est donc vrai, cette histoire de pré ? demanda Richard, sans pouvoir s'empêcher de sourire.

– Comment, si c'est vrai ? J'y ai été moi-même pour voir ! Le pré n'était pas large, alors le domestique de la Rouveraye était à une haie, et moi, j'étais à l'autre, et l'on se criait les nouvelles, comme ça !

Jaffé fit un porte-voix de ses deux mains autour de sa bouche, puis secoua la tête d'un air mécontent. Au fond, ce philosophe manquait de philosophie à l'endroit de la Rouveraye.

Richard sourit encore d'un air distrait, puis tomba dans la mélancolie.

Des années avaient passé depuis lors, mais les sentiments étaient restés les mêmes. Ce jour de première communion, cependant, il avait fallu que Mme de la Rouveraye acceptât à déjeuner chez Richard, avec Yveline.

Lorsque la fillette entra dans le salon, si blanche et si légère avec ses jolis cheveux frisés, indociles, échappés à son petit bonnet de tulle, ce fut comme l'apparition d'un bouquet de boules de neige. Elle apportait avec elle le printemps, la fraîcheur et la grâce.

Odile ne put s'empêcher de soupirer. N'était-ce pas dommage de n'avoir point chez soi cette jolie incarnation de l'enfance heureuse ? Edme était devenu son fils sans réserve et sans retour ; si elle avait pu avoir aussi cette fille délicieuse, quelle joie n'eût pas été la sienne !

Les convives se trouvèrent bientôt assis autour de la table ; le cuisinier s'était surpassé pour faire honneur à « mademoiselle », et la gaieté la plus aimable régnait parmi eux. Ils n'avaient pas beaucoup changé les uns ni les autres, à l'exception d'Edme, depuis le jour qui avait réuni Richard à sa femme sous le toit de sa mère. La maladie n'avait point laissé de traces visibles sur le visage d'Odile, mais l'expression de cette noble physionomie était devenue à la fois plus grave et plus caressante, on sentait que ses bras s'étaient arrondis à presser sur son cœur la tête de son fils ; les gestes un peu secs, un peu précis de son existence antérieure s'étaient amplifiés dans l'exercice de cette maternité de son âme.

Mais le visage avait des plis soucieux ; une expression attentive, presque anxieuse, accompagnait la bouche, excepté dans le sourire, et les yeux pleins de bonté s'étaient un peu assombris.

C'est que la vie d'Odile avait été complètement bouleversée par l'affection si longtemps refusée de son beau-fils. Jusque-là, femme heureuse, épouse chérie, elle n'avait vécu que pour son mari. Tout à coup, elle avait trouvé à ses côtés ce grand enfant, en tiers entre eux, jaloux de leur tendresse, jaloux surtout de celle d'Odile dont, avec un revirement très naturel dans cette âme violente et passionnée, il aurait voulu maintenant être le seul objet.

La jeune femme fut obligée de se surveiller beaucoup durant les premiers temps de cette singulière lune de miel. Si peu qu'elle exprimât d'affection pour quelqu'un, qu'elle témoignât d'attentions à un enfant étranger, Edme tombait dans d'inimaginables crises de chagrin, se reprochant avec amertume l'erreur où il était resté tant d'années, exagérant ses torts et se trouvant indigne, jusqu'au désespoir, de la tendresse qui lui était devenue nécessaire.

Richard avait d'abord froncé le sourcil : ces démonstrations lui semblaient tellement dépasser la mesure, qu'il fut tenté de les croire simulées. Odile eut quelque peine à lui faire comprendre qu'il devait voir là l'exubérance d'une nature très riche, très complexe, à un âge où l'enfant qui va devenir un jeune homme est pour lui-même un monde encore inconnu, et que ce n'était pas avec de la sévérité, mais avec une calme douceur qu'on réglerait le cours de ce torrent indiscipliné.

Le père céda, non sans résistance, aux raisonnements de la seconde mère. Il l'avait toujours trouvée très sage en ses conseils et dans les actes de sa vie ; sa seule crainte était que maintenant elle ne témoignât de la partialité pour ce fils reconquis. Il fut contraint de se rendre en voyant l'extrême équité de sa femme. À plus d'une reprise, elle intercéda pour Edme, mais son intercession était une forme de bonté et de pardon, jamais une manifestation de faiblesse ou seulement d'indulgence. Richard s'accoutuma bientôt à se décharger sur Odile de la plupart des menus soins de l'éducation de son fils, qu'elle gouvernait maintenant à sa guise.

L'abdication de Mme Brice cependant n'était pas complète ; son esprit remuant et vif ne pouvait se désintéresser d'une question qui avait été pour elle la vie même durant tant d'années ; mais, par un revirement moins singulier qu'il n'en avait l'air, donnant toujours raison à Odile, désormais, elle s'apercevait des défauts de son petit-fils avec une pénétration doublée par un vague mécontentement intérieur.

Rien ne l'eût fait convenir que ces défauts, très grands en eux-mêmes, encore grossis par son optique spéciale de grand-mère, provenaient pour la plus grosse part de sa tutelle peu judicieuse. Non, les erreurs et les fautes du jeune garçon provenaient toutes, à l'entendre, d'une nature insoumise, indisciplinée et décidément encline à la contradiction.

Jaffé l'écoutait parfois, avec un air de momie égyptienne démailloté, très ressemblant en de tels moments au roi Sésostris, plus récemment livré à l'appréciation des modernes ; cet air-là signifiait, chez le serviteur, une profondeur de critique dont Mme Brice, heureusement, ne se doutait pas. Au fond, Jaffé connaissait parfaitement l'origine des défauts de son jeune maître ; il les avait vus naître et se développer, il en avait été jadis la victime ou le témoin, et il aurait pu dire sans hésitation en quelle circonstance s'était manifestée pour la première fois telle disposition qui, réprimée sur-le-champ, se fût évanouie, et qui, aujourd'hui, prenait des proportions inquiétantes.

En ce jour de la première communion d'Yveline, chacun, en apparence, ne songeait qu'à se réjouir. Edme pourtant avait son idée, longuement mûrie, et l'occasion lui semblant tout à faire favorable, il en profita.

Parmi ses griefs contre les choses ou les personnes, il en avait un tout particulier contre Mme de la Rouveraye.

– C'est la grand-maman d'Yveline, avait-il dit plus d'une fois à Odile, ce n'est pas la mienne. On dirait que je ne lui suis rien, parce que c'est à mon père que je ressemble ! Grand-mère Brice est joliment plus raisonnable. Je ne dis pas que dans son cœur elle ne me préfère pas, mais elle fait toujours à Yveline d'aussi beaux cadeaux qu'à moi, et elle l'embrasse tout autant quand elle est là ; ma sœur est très heureuse, elle a deux grand-mères, et je n'en ai qu'une !

Cette gourmandise d'affection, ce besoin d'être non seulement aimé, mais choyé, inquiétait Odile, qui savait combien la vie, en général, est chiche de caresses. Elle reprit donc l'enfant avec douceur, et un jour qu'il revenait à la charge avec un peu d'aigreur :

– Tu n'es pas juste, Edme, lui dit-elle sans mélancolie : est-ce que mon amitié ne peut pas te consoler d'un peu de froideur de la part de ton autre grand-mère ?

– Oh ! vous, maman, vous êtes un ange ! s'écria le jeune garçon en lui sautant au cou.

Cette réflexion et d'autres analogues l'avaient amené à prendre en grippe sa grand-mère maternelle, qui se donnait bien peu de mal, il faut en convenir, pour se faire chérir de lui. Aussi Edme, jaloux de son naturel, malicieux par habitude et par goût, se faisait-il une véritable fête des sentiments désagréables qu'amènerait chez l'indifférente Mme de la Rouveraye la nécessité toujours éludée jusque-là de mettre Yveline au couvent.

Moitié par persuasion, moitié par cette force d'inertie que son gendre se reconnaissait impuissant à combattre, elle avait obtenu de garder Yveline jusqu'à la première communion. Toute l'adresse de la bonne dame, tout un arsenal de ruses diplomatiques avaient alors été mis en jeu pour retarder cet événement.

L'âge de la petite fille fut d'abord allégué. Elle n'avait que onze ans, et elle avait grandi si vite ! On ne pouvait pas la fatiguer avec des leçons aussi importantes au moment de cette croissance exceptionnelle. L'année suivante, un léger rhume interrompit le catéchisme à l'entrée du carême, et Yveline, bon gré, mal gré, dut garder la maison assez longtemps pour que son instruction religieuse ne fut pas complétée en temps opportun.

Mais la fillette allait avoir treize ans ; on ne pouvait plus retarder davantage : Richard annonça très tranquillement à sa belle-mère que si quelque obstacle se présentait encore, il était décidé sans plus tarder à faire entrer sa fille au couvent, où les rhumes ne seraient pas des causes d'exclusion. Il fallut se résigner ; Mme de la Rouveraye vint s'établir à Paris, et la grande cérémonie eut lieu.

– Grand-maman, dit Edme, cela va bien vous ennuyer de vous séparer de ma sœur ?

Il reçut sans sourciller le regard plein de reproches de son père, d'Odile et de Mme Brice. Chacun savait que c'était le point sensible, le danger des entretiens ; quelle idée, quel manque de tact chez ce garçon, d'ordinaire bien élevé ! Mais depuis qu'il avait atteint sa dix-huitième année, il était d'un commerce si épineux !

– C'est vrai ! répondit froidement Mme de la Rouveraye. Pourquoi me demandes-tu cela ? Tu dois le savoir, depuis le temps qu'on en parle.

– C'était pour savoir si c'était réellement vrai, grand-maman, répondit le jeune homme avec une correction de manières parfaite. Eh bien ! sœurette, tu vas goûter de l'internat. C'est moins dur aux Oiseaux qu'au lycée, je le suppose du moins, mais c'est pourtant moins agréable que la maison de grand-maman.

– Edme, dit doucement Odile, pourquoi chagriner ta sœur en un jour pareil ?

– Je ne vois pas qu'il y ait là rien de chagrinant ! repartit Edme avec une moquerie intérieure qu'Odile avait appris à reconnaître sous une apparente politesse. Il faut qu'on passe par là, j'y ai passé, tout le monde...

– Tu me ferais parfois regretter de ne pas t'avoir laissé interne, mon fils, dit Richard sévèrement : je crois que le régime de la maison paternelle est trop bénin pour toi...

On se leva de table sur cet incident, et personne n'y fit plus allusion, mais le père avait été blessé. Ses rapports très tendus avec sa belle-mère le rendaient désireux d'éviter non seulement toute taquinerie, mais tout choc inutile, et rien ne pouvait lui déplaire plus qu'une semblable agression. Le lendemain, il prit son fils à part et lui adressa des observations justes, mais peut-être un peu trop sévères.

Le tempérament fougueux d'Edme lui rendait tout reproche très douloureux ; de plus, il savait que son père, en cette circonstance, partait non plus d'un principe de morale, mais d'un point de vue purement extérieur et mondain. Le jeune homme méprisait la diplomatie et les compromis, comme on le fait souvent à son âge ; il estimait la droiture et la franchise au-dessus de toutes choses, disposé à mettre en action ses théories avec une brutalité non mitigée. Une réplique dans ce sens qu'il fit à son père, où la critique n'était pas intentionnelle, mais résultait de son état d'esprit, lui attira la plus verte semonce qu'il eût jamais reçue.

– J'ai été trop bon, dit Richard en terminant ; votre grand-mère vous a gâté, votre mère Odile a été d'une indulgence dont vous devriez rougir, car vous n'en êtes pas digne ; mais, par bonheur, le mal n'est pas sans remède ; la discipline militaire viendra réparer les fautes de votre éducation ; quand vous serez à Saint-Cyr, vous devrez supporter les observations sans réplique...

Richard s'était arrêté, laissant sa pensée incomplète.

– Je n'y suis pas encore, repartit le jeune homme, sans intention de bravade, peut-être, mais d'un ton de dépit.

Richard regarda son fils et lui dit simplement :

– Sortez.

Edme obéit et s'en fut de lui-même se mettre aux arrêts dans sa chambre.

# XIV

Éliminant volontairement Mme Brice, qui l'eût blâmé de tout point, tout en censurant le jeune homme, Richard tint conseil avec sa femme.

La circonstance n'eût pas eu cette gravité exceptionnelle si elle se fût présentée pour la première fois, et si Edme eût été dans de bonnes conditions d'étude. Malheureusement, toutes ses classes s'étaient ressenties du manque de direction primitif, et son éducation était pleine de trous. Quand il se trouvait en humeur de travail, il prenait facilement la tête de la classe, à la grande indignation de ses camarades, et même des professeurs, qui voyaient avec humeur ce vainqueur intermittent couper l'herbe sous le pied à des élèves consciencieux qui travaillaient bien toute l'année. Mais d'ordinaire, il était à une place très médiocre.

La vie qu'Edme menait chez son père, tout en suivant ses cours, était donc souvent orageuse. Depuis qu'il faisait une classe spéciale surtout, il s'apercevait combien ces accès de paresse et de mauvais vouloir lui avaient créé de difficultés ; une volonté bien arrêtée eût franchi ces obstacles ; un peu de travail supplémentaire pendant les congés et les vacances aurait comblé les lacunes qu'il reconnaissait ; mais il aurait fallu vouloir, et Edme n'était pas habitué à se livrer bataille à lui-même. Il se contentait d'être presque toujours de mauvaise humeur, mécontent de lui-même et par conséquent de l'univers entier, toujours à l'exception de sa mère Odile, comme il l'appelait, depuis que le mot maman lui semblait trop enfantin.

– Eh bien, qu'en pensez-vous ? dit Richard, lorsqu'il eut exposé à sa femme tout ce qu'il avait dans l'esprit.

– Je pense, mon ami, répondit la jeune femme, que nous devons pardonner quelque chose à une nature très personnelle, pleine de qualités éminentes, d'une générosité exceptionnelle, entre autres, mais qui n'a pas été dirigée...

– Eh ! s'écria Richard, est-ce ma faute, si elle n'a pas été dirigée comme il l'eût fallu ? N'ai-je point passé des années à déplorer... mais à quoi bon revenir là-dessus ? Vous avez conquis le cœur de ma mère, Odile, vous l'avez conquis à ce point qu'elle vous est plus dévouée qu'à moi-même... Je ne m'en plains pas, assurément ; mais avouez qu'il est un peu dur pour un homme qui a perdu en quelque sorte ses droits sur son fils à cause de sa femme, de se voir blâmé par sa mère parce qu'il est impuissant à réparer le mal qui a été fait malgré lui ! Et vous-même, toujours louée, toujours admirée, à présent, par le fils et par la grand-mère, allez-vous aussi me faire reproche de ce que je n'ai pu empêcher ?

Aigri par les difficultés de la politique et de la vie de famille, Richard avait outrepassé de beaucoup sa pensée ; il s'aperçut aussitôt de ce que ces paroles pouvaient offrir de blessant pour sa femme, et il ajouta :

– Pardonnez à un homme véritablement surmené et qui ne sait où donner de la tête. Ma fille nous échappe, je le crains, à tout jamais, et mon fils ne semble plus ni m'aimer ni me comprendre ! En de telles circonstances, Odile, je viens chercher en vous le repos et la consolation que j'y ai trouvés jusqu'ici... Vous me parlez de direction !... j'ai eu tort de m'emporter, et vous êtes trop bonne pour m'en vouloir ?

Il lui baisait la main avec tendresse en la regardant, avec le regard fidèle des jours de jeunesse. Ce regard rappelait à Odile tant de choses passées, amères et douces, qu'elle eût voulu pouvoir détourner le sien afin de dérober à son mari les larmes qu'elle sentait monter. Elle se contenta de lui sourire, et il essuya d'un geste affectueux les pleurs qui mouillaient les longs cils de sa femme.

– Quoi qu'il arrive, dit-il, nous nous aimerons toujours, Odile ! Nous avons partagé ensemble trop de douleurs et trop de joies pour que notre affection puisse être jamais affaiblie. Le croyez-vous ?

Elle voulait le croire, et elle le rassura.

– Que faut-il faire, alors ? reprit Richard ; entre Edme ingouvernable et Yveline qui nous devient de plus en plus étrangère, comment diriger votre barque ?

Odile réfléchissait. Tout à coup, un sourire presque malicieux éclaira son beau visage grave.

– Vous voulez un conseil ? dit-elle. Rappelez-vous que vous l'avez demandé ; si bizarre qu'il vous paraisse, vous engagez-vous à le suivre ?

– S'il n'est que bizarre, sans doute... Voyons ?

– Il faut... ne bondissez pas, je vous prie ! il faut que nous passions les vacances à la Rouveraye.

– À la Rouveraye ? s'écria Richard, complètement bouleversé. Dans la gueule du loup ?

– Au cœur de la place, mon ami, ce qui n'est point la même chose.

– Avec Edme ?

– Certainement !

– Pour que Mme de la Rouveraye soit témoin de nos difficultés intérieures, pour qu'elle triomphe en voyant combien ce garçon nous donne de mal ?

– Pour qu'Edme soit en contact journalier avec sa sœur qu'il connaît à peine, avec laquelle il n'a jamais pu échanger deux mots d'intimité fraternelle ; pour qu'il soit régi extérieurement par la discipline d'une maison qui n'est ni le lycée ni la demeure paternelle ; pour qu'il échappe totalement aux observations de sa grand-mère Brice, qui ont le don spécial de l'exaspérer...

– Ingrat enfant ! murmura Richard.

– Non, pas ingrat, plaida doucement Odile, mais aigri... vous venez d'avouer que vous l'êtes, Richard, vous qui connaissez la vie, et qui êtes si fort au-dessus des autres hommes...

Brice eut beau regarder sa femme d'un air de reproche amical pour protester de sa modestie, il n'en ressentit pas moins très profondément la douceur de la louange.

– Et vous voudriez, continua-t-elle, que cet enfant ne fût pas sensible à ces reproches, fondés assurément, mais d'autant plus pénibles que, dans son enfance, il n'a point été accoutumé à en entendre sortir de cette bouche ?

– Vous parlez d'or, Odile, dit Richard en souriant. Que n'êtes-vous avocat ? Vous auriez gagné toutes les causes ! Mais nous installer à la Rouveraye... D'abord, ce sera pour vous un supplice intolérable...

– Pourquoi ?

– Mme de la Rouveraye possède à la perfection l'art exquis d'enfoncer les épingles au bon endroit, et vous êtes une pelote à souhait...

– N'ayez aucune crainte à cet égard ; il n'y a point d'épingles pour moi dans l'arsenal de cette charmante femme. Savez-vous, Richard, qu'elle serait la plus aimable personne du monde à fréquenter, si elle n'était point la grand-mère d'Yveline ?

– Je vous l'accorde ! J'ai si longtemps pensé de même ! Mais le plus difficile, et vous n'avez pas l'air de vous en douter, c'est de nous faire inviter à la Rouveraye.

– C'est extrêmement simple. Vous invitez Mme de la Rouveraye à venir passer l'été aux Pignons avec Yveline. Elle a horreur du déplacement ; mais, même sans cela, elle refuserait certainement de vivre deux mois sous le même toit que Mme Brice ; vous savez que ces dames ne sont plus tout à fait aussi liées qu'autrefois ?

– Même autrefois, dit Richard en riant, alors qu'elles s'adoraient, elles n'ont jamais pu passer plus de vingt-quatre heures l'une chez l'autre ! Voyons la suite de votre plan ?

– Nous invitons, on nous refuse : vous insistez, affirmant qu'il est indispensable que les enfants fassent connaissance d'une façon sérieuse ; par délicatesse, vous offrez de laisser Edme tout seul avec sa sœur, afin de ne pas imposer notre présence.

– J'entends d'ici le cri d'horreur de la grand-maman ! fit Richard, très amusé.

– Alors, avec une bonté parfaite, vous consentez à vous charger de surveiller votre fils. Mme de la Rouveraye, qui est la politesse même, vous invite aussi, naturellement ; vous acceptez pour nous deux...

– Dont elle enrage, conclut Richard ; mais comme elle est la politesse incarnée, il n'y a plus moyen de s'en dédire !

– Et votre fille s'attache à vous, mon ami, dit Odile avec un sourire grave et une orgueilleuse tendresse, car il n'est pas possible de vivre avec vous sans vous aimer. Ah ! Richard, le jour où elle ira à vous d'elle-même pour vous passer le bras autour du cou et vous conter un secret, il n'y aura pas au monde une femme aussi heureuse que moi !

Ce plan devait recevoir son application. Tout se passa comme Odile l'avait prévu. Mme de la Rouveraye, furieuse, mais trop bien élevée pour en rien témoigner, fit préparer un appartement pour M. et Mme Richard ; Mme Brice mère, invitée, avait refusé de quitter les Pignons, alléguant le voisinage, qui lui permettrait de voir ses enfants tous les jours si elle le désirait.

Jaffé avait commencé par prendre un air très grave. Il vieillissait, le bon Jaffé, et les ans le rendaient parfois morose. Il n'était point invité, lui, et, dans le premier moment, il avait été tenté de prendre cette omission comme une injure. Depuis, il s'était ravisé. Plus sage, il avait compris qu'un séjour à la Rouveraye aurait été pour lui un intolérable supplice. Les domestiques étaient si bien tenus dans cette maison-là ! Depuis le maître d'hôtel jusqu'à la dernière des laveuses de vaisselle, tout le monde avait à la Rouveraye un air de correction absolue, de perfection intime qui, plus d'une fois, avait exaspéré la nature paysanne de Jaffé.

– Pour des domestiques, avait-il dit à Odile, sa confidente favorite, c'est des domestiques de bonne maison, il n'y a rien à en dire. Mais j'aimerais mieux vivre au chenil que d'avoir affaire à eux tous les jours ! Les chiens, au moins, ça montre ce que ça pense, et quand ça mord, eh bien, on est sûr que c'est parce qu'on n'est pas amis !

Jaffé resta donc aux Pignons, d'où il eut la joie d'accompagner Mme Brice à chacune de ses visites ; un peu d'air de la Rouveraye lui faisait grand bien en excitant chez lui le sens de la critique, de même qu'un peu de moutarde excite agréablement l'estomac. Il dit un jour à sa maîtresse :

– Quand je vois des gens de maison – car ce ne sont pas des domestiques, comme madame le sait ; moi, je suis un domestique, mais eux, ce sont des gens de maison ; – quand je vois des gens de maison aussi distingués, et que leurs équipages sont d'une tenue qui me fait hausser les épaules, sauf le respect que je dois à madame en sa présence, je me dis qu'il vaut peut-être mieux n'être qu'un domestique et avoir des harnais convenablement astiqués.

C'est avec cette pensée que Jaffé sut maintenir, pendant toutes les vacances, un équilibre louable entre son orgueil et son humilité, ce qui produisit en lui un état d'esprit des plus agréables.

# XV

Edme, d'abord bourru, car il regrettait sa chère liberté des Pignons, s'accoutuma bientôt à la vie qu'on menait à la Rouveraye. Cette demeure, très mondaine, était journellement l'objet de visites diverses : les jeunes amies d'Yveline venaient la voir, quelques-unes de son âge, d'autres déjà promues au rang supérieur de la jeune fille. Pareil à la plupart des jeunes gens, Edme se trouvait un peu mal à l'aise au milieu de tant de demoiselles ; mais comme il était fort beau, grand, mince, élégant, aimable quand il le voulait, comme en outre ses défauts ne se manifestaient que dans la société intime de ses proches, ainsi qu'il convient à tout être bien élevé, il devint bientôt l'âme des petites réunions.

De la sorte, il prit goût à la société des dames, ce qu'Odile n'avait pu obtenir dans son salon, qu'Edme fuyait régulièrement à Paris, et, par une conséquence toute naturelle, il se rapprocha de sa sœur.

Yveline, malgré sa jeunesse, était alors non plus une fillette, mais presque une demoiselle ; le court séjour qu'elle venait de faire aux Oiseaux lui avait déjà donné le sentiment complet de son importance sociale. En se comparant aux autres, elle avait appris que c'est quelque chose que d'être la fille de M. Richard Brice. De plus, elle avait pu se rendre compte de l'effet que produisaient au parloir ses deux grand-mères et sa belle-mère Mme Richard, toutes les trois si élégantes, si bien mises et si riche ! De cette petite épreuve, Richard et sa femme avaient déjà retiré quelque chose : Yveline avait pour eux une considération beaucoup plus marquée. En entendant parfois désigner son père sous le nom de Brice-Montaubray, la petite mondaine en herbe s'était rendu compte de la situation de Mme Odile. Comment, fille d'un député, qui avait été ministre sous Louis-Philippe ! C'était quelque chose, cela ! On pouvait avouer une semblable belle-mère.

Aussi, lorsque Edme fit à sa sœur des reproches très vifs sur sa regrettable habitude de s'adresser à Odile en l'appelant « chère madame », la jeune fille, au lieu de lui répliquer vertement comme elle le faisait d'ordinaire, resta silencieuse et perplexe. Son frère en profita pour insister, au risque de tout gâter.

– Que ne l'appelles-tu « maman » ? lui dit-il ; je t'ai montré l'exemple, et ce n'est pas bien difficile ! Si tu savais comme cela lui fera plaisir ! Elle est si bonne !

Yveline regarda son frère d'un air fervent. Elle était très flattée de se voir l'objet des attentions d'un si grand frère, et si charmant ! Ses amies n'avaient pas manqué de lui en faire compliment ; aussi était-elle disposée à causer avec lui autant qu'il le voudrait bien : leurs entretiens fréquents étaient d'ordinaire courts et d'une banalité parfaite.

– Elle est vraiment bonne ? demanda la jeune fille. Tu en es sûr !

– Oh ! je t'en réponds. Est-ce que tu croirais le contraire ?

– Je t'avoue, dit Yveline avec candeur, que je n'y ai pas beaucoup pensé.

– Oui, je sais. Ma mère Odile ne t'intéresse pas ! Elle n'est pas de votre monde... Si tu veux savoir la vérité, j'aime mieux le sien que le vôtre ! Le sien, c'est celui de mon père ; le vôtre...

– Est-ce que tu t'y ennuies ? demanda Yveline d'un ton moqueur.

– Au contraire, je m'y amuse beaucoup ! Mais ce ne sont pas des gens sérieux.

Yveline partit d'un fou rire, ce qui mortifia cruellement son frère. Pour un rien, il eût abandonné l'entretien, mais il sentait vaguement qu'il avait pour parler d'Odile une occasion qu'il ne retrouverait peut-être pas.

– Je t'égaye ? Allons, tant mieux ! fit-il avec une bonne humeur tout à fait méritante. Sans rire, ma sœur, sois gentille avec ma mère Odile ; tu verras comme elle est bonne et comme elle nous aime !

– Toi, je ne dis pas ! mais moi, pourquoi veux-tu qu'elle m'aime ? Je ne lui suis rien, elle ne m'est rien !...

– Yveline, comment peux-tu parler ainsi d'une personne qui rend notre père si heureux, qui est pleine de bonté pour nous et qui m'a sauvé la vie ! Je suis ton frère, et tu dis que celle qui m'aime tant ne t'est rien ?

La jeune fille rougit, un peu décontenancée, puis répliqua vivement :

– Toi, c'est différent. Elle ne peut pas m'aimer, je ne lui en ai pas donné sujet.

– Qu'est-ce que cela fait pour une âme comme la sienne ! Ah ! si tu la connaissais ! Écoute, Yveline, tu peux en faire l'épreuve : si tu te trouves jamais dans une situation difficile ou pénible, si tu étais forcée de faire quelque chose qui te déplût, ou si l'on voulait t'empêcher d'obtenir quelque chose qui te tint au cœur, – va trouver ma mère Odile, parle-lui franchement, – et tu verras si l'on peut compter sur elle !

Edme revint plus d'une fois à la charge, et chaque fois il ébranla un peu de la résistance de sa sœur. Malheureusement, c'était une résistance instinctive, et le terrain gagné était tout doucement reperdu le lendemain. Pourtant la présence d'Odile dans la maison, son tact parfait, sa douceur calme eurent de l'influence sur la fillette, dont l'esprit très délié ne fut point sans comparer la belle-mère à la grand-maman ; dans cette comparaison, elle s'aperçut à plusieurs reprises que Mme Richard était bien loin de mériter le dédain avec lequel on l'avait mise de côté jusqu'alors à la Rouveraye.

Yveline, avec son apparence soumise, était une enfant gâtée, volontaire et capricieuse ; mais le soin que Mme de la Rouveraye prenait des apparences avait réduit ces dispositions à leur minimum d'expression. Yveline ne possédait les vertus chrétiennes qu'à de faibles doses ; elle en avait juste assez pour que personne dans le monde ne pût l'accuser d'en manquer. C'était tout ce qu'avait souhaité sa grand-maman en s'appliquant à son éducation ; elle l'avait obtenu. En vivant avec son père, dont elle ne connaissait jusqu'alors que la voix et le visage, avec Odile, avec Edme, Yveline, tout enfant qu'elle était encore, s'aperçut qu'on pouvait être très différent de Mme de la Rouveraye et de ses amies, et avoir cependant du mérite. Ce fut son premier pas dans une voie où elle devait faire rapidement beaucoup de chemin.

Les vacances terminées, Yveline retourna aux Oiseaux, Edme à ses cours spéciaux, les grand-mères à leurs domiciles respectifs et les époux à leur vie ordinaire. Ce fut un soulagement pour la plupart ; pas pour Edme, qui rentrait dans l'engrenage du travail avec le sentiment que ses efforts n'aboutiraient point à le satisfaire.

Ce qui compliquait encore sa situation, c'est que ses professeurs n'étaient pas d'accord sur ce point. Les uns assuraient qu'il était convenablement préparé, d'autres affirmaient une insuffisance complète ; cette divergence d'opinions s'expliquait par la promptitude d'esprit du jeune homme qui, à de certains moments, lui suggérait une réponse, une solution ingénieuse, de nature à faire croire qu'il savait ce qu'en réalité il ignorait. Après avoir été convaincu pendant des années que son fils ne savait rien, Richard s'était persuadé en ces derniers temps qu'Edme avait rattrapé l'arriéré, et que son admission à Saint-Cyr ne souffrirait pas de difficulté ; quelques réponses heureuses faites en sa présence, et l'opinion des professeurs optimistes, jointe au silence des autres, qui ne voulaient point se montrer des prophètes de malheur, avaient produit ce revirement.

Edme, qui en avait été enchanté au début, s'en montra inquiet plus tard, et, par conscience, voulut exprimer ses doutes à son père.

– Tu seras reçu si tu le veux, dit celui-ci, il ne s'agit plus que de vouloir, et j'espère bien que tu ne me feras pas le chagrin de te faire refuser ! Je te préviens d'ailleurs que je ne croirais pas à un échec accidentel : j'ai grand-peur, mon fils, que la carrière militaire ne te plaise pas...

– Oh ! mon père, peux-tu croire cela ! fit Edme en rougissant d'humiliation.

– Ce n'est pas que je doute de ton courage, reprit Brice, mais je doute de ton amour pour le travail et la discipline !

Blessé, Edme se replia sur lui-même, c'était une âme orgueilleuse qui n'aimait pas à se dévoiler ; avec Odile seule il s'exprima franchement.

– Rassure-toi, mon enfant, lui dit-elle avec sa tendresse accoutumée, ton père te parle ainsi pour te maintenir dans de sages appréhensions, mais...

– C'est cela qui m'afflige, s'écria le jeune homme avec amertume ; on me traite comme un enfant ! on veut m'effrayer... ne vaudrait-il pas mieux m'encourager, me consoler ?... Ah ! ma mère Odile, j'ai grand besoin de consolation, je vous le jure !

Il avait des larmes dans les yeux, et s'efforçait de les retenir, par fierté virile.

– Pleure avec moi, lui dit Odile en lui tendant la main. Cesse de te contraindre, mon fils ! Jette ton masque d'indifférence, qui peut tromper même ceux qui t'aiment le plus ; sois un noble garçon, ouvert, sincère, avec tes faiblesses, qui sont de ton âge, et tes héroïsmes qui sont au-dessus !

– Je ne peux pas ! répondit Edme en cachant son visage dans les bonnes mains maternelles qui lui offraient un refuge. J'ai besoin d'être aimé, – on ne m'aime pas assez ici...

– Ingrat ! fit doucement sa seconde mère.

– Oui, vous ! Mais les autres ! Savez-vous, ma chère mère Odile, je crois qu'en vous aimant j'ai un peu perdu de l'affection des autres...

– Trop exclusif ! fit Mme Richard avec quelque mélancolie. C'est vous qui les avez négligés, Edme !

– Sans doute... mais si j'échoue, personne ne me plaindra, excepté vous !

À mesure que le moment des examens approchait, Edme sentait s'accroître ses terreurs. Son orgueil excessif lui rendait la formalité de l'examen extrêmement pénible ; il était de ceux qui perdent la parole quand on les interroge, même alors qu'ils sont très bien préparés. La frayeur qu'il avait de ne pas savoir ce qu'on lui demanderait le paralysait d'avance.

La veille du jour fatal, Mme Brice eut la malencontreuse idée de lui adresser une admonition.

– J'espère que tu seras reçu, lui dit-elle, car si tu échoues, tu me causeras personnellement un chagrin beaucoup plus grand qu'à aucun des tiens. Je me rends compte à présent que je n'ai pas bien dirigé les commencements de ton éducation, et que, par conséquent, je suis responsable dans une certaine mesure de tes erreurs et de tes fautes. Mais depuis que tu es passé dans des mains plus expérimentées, tu aurais eu le temps et l'occasion de modifier ton caractère et de faire de bonnes études. Je crains que tu n'aies tenté ni l'un ni l'autre. Rappelle-toi que si tu es refusé, c'est sur moi qu'en retombera la honte, beaucoup plus que sur toi, ce qui ne serait pas tout à fait juste.

Pour ôter à son discours un peu de sa sévérité réelle, Mme Brice embrassa tendrement son petit-fils ; Edme se retira dans sa chambre, où il passa une nuit détestable. Odile avait eu bien envie d'aller l'y trouver et de lui porter quelques bonnes paroles, mais Richard la retint en causant jusqu'au moment où elle supposa que leur fils était endormi, et elle ne voulut pas courir le risque de l'éveiller, si par hasard il dormait d'un bon sommeil.

Ainsi préparé et sermonné, Edme se présenta à l'examen écrit. Le problème qu'il eut à résoudre s'embrouilla dans sa tête avec un autre qu'il avait travaillé seul ; il les confondit tous les deux, s'en aperçut trop tard, ce qui acheva de lui faire perdre la tête, et fut refusé.

Odile, très anxieuse, attendait le retour. Au visage de Richard, elle connut la vérité, et toute demande mourut sur ses lèvres.

– Il est refusé, dit Richard ; et ce qu'il y a de pis, c'est qu'il l'a fait exprès.

– Mon père, fit Edme, je te jure...

Richard lui imposa silence du geste.

– Vous l'avez fait exprès, répéta-t-il avec autorité ; cela ne me surprend pas, vous me l'aviez annoncé !

– Moi ? fit le malheureux garçon en pâlissant.

– Vous ! le jour où je vous menaçais de la discipline de Saint-Cyr. Vous ne l'avez pas oublié, je pense ? C'est le digne couronnement d'une éducation manquée... Vous pourrez vous dire, si vous êtes malheureux, que vous l'avez voulu !

Edme sentait ses jambes trembler sous lui. Que n'eût-il pas dit s'il avait pu exprimer ce qu'il sentait ! Mais outre la difficulté qu'il avait toujours éprouvée à révéler son être intérieur, le reproche injuste qui l'accablait ordonnait ce silence à son orgueil. Il souffrait dans tout ce qu'il avait en lui de meilleur, et il sentait que tout mot sorti de sa bouche en de telles circonstances serait considéré comme une manifestation de ses mauvaises qualités. Il se dirigea vers la porte, le regard troublé, la tête creuse, titubant presque, en proie à la pire souffrance physique et morale dont il eût jamais eu conscience.

– Edme, lui dit sa grand-mère d'un ton de reproche, je n'attendais pas cela de toi ! Tu sais ce que je t'avais dit !

Il inclina la tête et sortit muet.

Quand la porte fut refermée, les parents gardèrent un instant le silence. Mme Brice pleurait ; Richard tirait sur ses favoris d'un air sombre. Odile promenait ses yeux de l'un à l'autre. Tout à coup elle parla.

– Vous avez été horriblement cruels ! leur dit-elle de sa voix douce.

Tous deux tressaillirent : Richard allait répliquer, elle prit les devants.

– Horriblement cruels et horriblement injustes, continua-t-elle. Vous blessez son cœur d'une incurable blessure, vous courez le risque d'en faire un homme mauvais, aigri... Vous avez outrepassé vos droits.

Elle était calme au point que son extérieur excluait la possibilité d'une querelle, si belliqueuses que fussent ses paroles. Sa belle-mère et son mari la regardaient, l'une stupéfaite, l'autre indigné.

– C'est vous, Odile, qui parlez ainsi ? fit Richard.

– Oui, mon mari, c'est moi. Comme chef de famille, vous avez le droit et le devoir de réprimander votre fils ; – comme père, vous ne deviez pas lui dire qu'il avait fait exprès de manquer... même si c'était vrai ! Et ce n'est pas vrai !

Mme Brice écoutait Odile avec une sorte d'amère componction. Après le premier mouvement d'humeur qui l'avait entraînée à appuyer le dire de son fils, elle sentait que sa bru avait raison ; le caractère d'Edme était rétif, ombrageux, difficile, mais il n'avait jamais été accusé de duplicité ni de calcul ; elle se repentait maintenant d'avoir été si dure.

– Je vais le voir dans sa chambre, dit-elle en se levant.

Richard l'arrêta d'un geste bref.

– Je vous prie, ma mère, dit-il, de n'en rien faire. Mon fils a besoin d'une grande et sérieuse leçon, je me charge de la lui donner ; il gardera les arrêts jusqu'à ce que je les lève, et moi seul aurai de communication avec lui jusque-là.

En d'autres temps, Mme Brice eût protesté avec énergie et probablement enfreint cet ordre ; mais l'âge et son état de santé lui avaient ôté beaucoup de son courage actif ; après avoir adressé à son fils quelques paroles pour l'engager à l'indulgence, elle rentra chez elle, afin d'y pleurer tout à son aise.

Richard et Odile restèrent seuls ensemble ; elle pâle, mais résolue, lui très irrité, retournant dans son esprit une grosse colère qu'il ne savait trop comment exprimer.

– Odile, dit-il enfin, voilà la première fois depuis notre mariage que je vous trouve en opposition ouverte avec moi, et je m'étonne que ce soit au sujet de mon fils.

Elle le regarda en face, sans bravade, mais sans frayeur, et dans ses yeux tristes, Richard vit qu'il ne la réduirait pas facilement.

– C'est la première fois, répondit-elle, que je vous vois commettre une faute.

– Une faute ?... répéta Richard dont les lèvres blanchirent.

– Oui, mon mari, une faute envers votre fils, que votre devoir est de punir s'il fait mal, mais non d'accabler quand il est innocent.

– Innocent ! fit Richard avec un rire amer.

– Innocent, aujourd'hui, j'en fais serment pour lui. Vous devriez le consoler, et vous l'écrasez !

– Alors, je ne connais plus mes devoirs de père ?

– Vous les méconnaissez en ce moment.

– Et c'est vous qui prétendez me les apprendre ?

Odile rougit faiblement.

– Je ne suis pas sa mère, dit-elle d'une voix altérée, mais je suis pour lui comme si je l'étais ; j'ai fait mon devoir de mère autrefois, je le ferai encore aujourd'hui, même si ce devoir doit nous mettre en opposition.

– C'est-à-dire, s'écria Richard avec fureur, que vous l'avez gâté par votre faiblesse, faussé par votre indulgence... En vérité, ce n'était pas la peine de le soustraire à l'influence de ma mère pour le faire tomber sous la vôtre. – À vous deux, vous l'avez fait ce qu'il est, et maintenant, toutes les deux vous vous entendez contre moi !

Odile était restée debout, les mains frémissantes, la tête haute et les yeux baissés.

– Eh bien ? fit Richard, qui aurait eu besoin d'une réplique pour aviver sa colère.

– Vous ne le connaissez pas ! dit sa femme en faisant appel à toute son énergie pour rester calme. Sous sa nature indisciplinée, véhémente, il en cache une autre, tendre et impressionnable comme celle d'une femme, et celle-là souffre, Richard, entendez-vous ? Il souffre, je le sens, moi, avec mon cœur... mon cœur de mère... oui,

Richard ! Vous pouvez sourire... mes entrailles n'ont point porté d'enfant, mais mon cœur est en lui, votre fils, parce qu'il est en vous, mon mari... Je vous dis qu'il ne faut pas pousser à bout ces natures promptes et passionnées. Laissez-moi aller vers lui, Richard, – je vous dis qu'il se déchire le cœur, et que je veux le voir... je ne veux pas qu'il souffre...

– Il l'a mérité, fit Richard, plus ému qu'il ne voulait le laisser paraître.

– Qu'il souffre injustement et qu'il vous maudisse, acheva Odile.

Cette dernière phrase ralluma la colère de Brice.

– Qu'il souffre injustement, en vérité ! Et qu'il me maudisse ? Vous réservez votre indulgence pour ceux qui me maudissent ? En voilà assez, Odile. Vous ne le verrez point, je vous le défends.

Il sortit là-dessus, laissant l'âme d'Odile douloureusement combattue.

Elle demeura un instant immobile, se demandant ce qu'elle allait faire ; sans doute, elle devait obéir à son mari, et pourtant, un irrésistible mouvement la poussait vers le fils puni ; elle essaya de se distraire, prit un livre, l'ouvrit, et le rejeta, ne pouvant songer à autre chose.

Il lui semblait que de cette chambre dont l'entrée lui était interdite sortait un grand cri d'appel, un long gémissement vers elle.

– Ma mère, ma mère, disait la voix suppliante, vous m'avez aimé, je vous aime, ô ma mère !

Elle fit deux ou trois pas, cherchant à fuir l'obsession, puis, soudain, n'y pouvant tenir, elle alla droit à la chambre du jeune homme, et tourna le bouton très doucement, sans bruit. La porte résista. Au lieu d'insister, elle fit légèrement le tour par un corridor et passa par le cabinet de toilette ; la clef était tournée aussi. Elle prit peur et courut chercher Jaffé.

Edme, entré dans sa chambre d'un pas automatique, s'était enfermé instinctivement, pour n'être pas troublé dans son angoisse, puis s'était assis devant son bureau.

Ses livres, ses cahiers couverts de chiffres attestaient le travail des derniers jours.

– Exprès ! Ô mon Dieu ! dit-il à voix basse. Exprès ! Il le croit ! Je suis déshonoré !

Il resta quelque temps écrasé sous ce mot, ne pensant pas, n'essayant même pas de rattacher par un lien logique les fragments d'idées qui voletaient dans son cerveau, avec une allure lourde d'oiseaux de nuit.

– Et ma mère Odile le croit aussi, pensa-t-il soudain : elle n'a rien dit... elle me regardait... qu'est-ce qu'elle pensait ?

Il essayait vainement de se rappeler l'expression des yeux d'Odile ; sa mémoire refusait de le servir.

– Elle doit penser comme mon père, se dit-il enfin. Elle l'aime tant ! Elle le respecte, elle le croit toujours... Et pourtant, ô mon père, Dieu sait que cette fois vous n'avez pas raison !

L'amertume de l'accusation était si grande, qu'il sentait un goût de fiel dans sa bouche, un dégoût de toute chose l'envahissait jusqu'à la nausée.

– Une carrière brisée ! se dit-il ; je ne serai jamais bon à rien... et personne ne m'aime plus... Faut-il que mon père me méprise pour m'avoir traité ainsi !... Je suis déshonoré !

Il trouvait une volupté d'agonie à répéter ce mot, à le laisser retomber sur lui comme une massue. Le garçon d'autrefois qui s'était enfermé dans sa chambre et qui y était resté sans manger, vivait encore dans l'Edme d'aujourd'hui, mais avec une autre force, d'autres souhaits, avec une âpreté sombre que l'enfant n'avait pas connue, avec un dégoût de la vie que la vingtième année professe souvent, parce qu'elle ne connaît pas le prix de l'existence.

– Déshonoré ! pensait Edme. Il y en a qui vivent avec cela... moi, je ne pourrais pas !

Il songea soudain à Odile, à sa maladie, au baiser qui les avait faits mère et fils, et il eut une soif immense de ses caresses.

– Ô ma mère ! s'écria-t-il, envoyant toute son âme vers elle, vous m'avez aimé, je vous aime ! Ô ma mère Odile, pourrais-je vivre sans votre tendresse, avec votre mépris ! Puisque mes paroles sont vaines, un acte vous convaincra peut-être... Ma mère Odile, quand je serai mort, vous me croirez, vous me pleurerez !...

Il ouvrit un tiroir de son bureau et y prit le revolver qui l'accompagnait dans ses courses solitaires aux Pignons. Il ôta les capsules, fit jouer l'arme élégante et précise, la rechargea et la posa près de lui ; puis il prit du papier et écrivit :

« Ma mère Odile, depuis que vous m'avez sauvé la vie, je vous ai aimée entièrement et sans réserve. Vous direz à mon père que ce n'est pas exprès que j'ai manqué mon examen, et il vous croira. Moi, il refuse de me croire ; je ne lui ai pourtant jamais menti, mais le coup était très dur pour lui, et je comprends qu'il en ait été irrité. Je meure sans regrets, ma mère Odile, parce que vous ne me mépriserez plus quand je serai mort. »

Il s'arrêta là et laissa tomber sa tête dans ses mains en pleurant.

Quel est l'être jeune, vaincu par le sort, qui, au moment de s'ôter la vie, n'a pas pleuré sur lui-même ? La fille de Jephté alla pleurer sur la montagne avec les amies de sa jeunesse ; les tristes de l'existence moderne pleurent seuls, sans poésie, dans la chambre où le destin les a poussés, mais ces larmes sont les mêmes que dans les montagnes de Juda ; c'est toujours la même douleur jeune et pleine de sève qui se fait jour entre les doigts, comme les larmes de la résine entre l'écorce du sapin blessé.

Quand il sentit ses larmes taries, il releva la tête, relut ce qu'il avait écrit, ajouta d'une écriture hâtive et enfantine : « J'embrasse ma grand-mère et ma sœur Yveline », puis signa bravement son nom : « Edme Brice », avec un grand parafe.

Au lieu de cacheter sa lettre, il la laissa sur son bureau et prit son revolver dans la main droite. Au moment de le tourner sur lui-même, il se pencha sur le papier et mit un baiser à côté de la signature, puis, d'un pas ferme, il alla jusqu'à son lit, s'assit au bord, et posa le canon de l'arme sur sa tempe.

Une clef joua dans la serrure du cabinet de toilette, mais il ne l'entendit pas. Il pensait à des choses si hautes qu'elles en devenaient très douces. L'égoïsme de ses vingt ans lui cachait l'horreur de son action vis-à-vis des siens ; il ne voyait qu'une chose : il quittait une vie difficile pour entrer... où ? dans quoi ? Il n'en savait rien ; les idées philosophiques d'un candidat refusé qui veut mourir ne sauraient être très nettes. Il avait une vague impression qu'il allait retrouver sa vraie mère.

« Elle ne sera pas jalouse de ma mère Odile ! » fut la dernière idée franche qui traversa son cerveau.

En un même moment il vit Odile devant lui, et sentit qu'elle lui arrachait son arme. Le coup partit, et la balle s'enfonça dans le pied massif du bureau.

– Vous n'avez pas honte ? lui cria Jaffé en le secouant par le collet.

Il sentit qu'Odile le prenait dans ses bras et l'embrassait. Il revenait de si loin, l'impression était si douce qu'il ne put la supporter, il perdit connaissance.

Il ne se serait pas tué déjà, madame ? demanda Jaffé avec des yeux qui lui sortaient de la tête.

– Non, répondit Odile, il n'est qu'évanoui.

– Oh bien ! nous allons le frotter ! répliqua le domestique en se mettant à l'œuvre.

Richard Brice entrait hagard, appelé par le bruit.

– Je vous ai désobéi, lui dit simplement sa femme en lui remettant l'arme. Vous voyez bien qu'il ne l'avait pas fait exprès. Allez, Richard, votre fils est un noble garçon, mais son cœur est malade, et c'est cela qu'il faudra guérir.

# XVI

Certaines situations très tendues ne peuvent se dénouer que par un accident tragique : certains malentendus trouvent par l'appréhension d'une catastrophe une solution aisée et facile. Sans la tentative de suicide du malheureux Edme, les rapports entre son père et lui fussent peut-être restés pénibles éternellement et douloureux ; la bonne foi du jeune homme ne pouvant plus être mise en doute, Richard sentit dans son cœur une grande floraison de tendresse pour son premier-né.

Ce qui s'était passé relativement à l'examen n'était pas en soi bien grave ; rien n'était plus aisé pour Edme que de se présenter à nouveau pour l'année suivante, puisqu'il se trouverait encore dans la limite d'âge. Un nouveau professeur fut choisi, afin d'écarter de l'esprit du candidat autant de souvenirs désagréables que c'était possible, et Edme s'épanouit sous un régime différent, sûr d'être désormais compris et désormais deviné, lorsque sa maladresse lui donnerait l'apparence de torts qu'il n'avait pas.

L'année suivante, il se présenta et fut reçu dans les vingt premiers. Ce succès, qui réjouit infiniment le cœur du père, fut pour Odile l'occasion d'une des plus douces sensations de sa vie, car Richard l'en remercia sincèrement.

– Vous êtes le bon ange de la famille, lui dit-il, et je ne sais, sans vous, ce que nous serions devenus, car ma mère, Edme et moi, nous sommes trop pareils pour ne pas nous heurter souvent ; c'est vous qui êtes le lien et la force de nos âmes !

– Hélas ! fit Odile avec un joli sourire, je ne vous ai pas encore rendu notre fille, mais s'il plaît à Dieu, cela viendra !

– Croyez-vous ? dit Richard soudain assombri ; j'ai grand-peur que le regret ne nous en reste toute la vie !

Odile, au fond, feignait une confiance qu'elle n'avait pas. Un instant, elle avait cru possible d'arriver au cœur d'Yveline ; maintenant, elle se demandait si elle n'avait pas rêvé le semblant de bonne grâce et d'amitié qu'elle avait escompté trop tôt.

La question de présenter la jeune fille dans le monde devenait de jour en jour plus pressante, et Mme de la Rouveraye, malgré toute sa diplomatie, ne saurait l'éluder beaucoup plus longtemps. C'était à

Mme Richard qu'appartenait incontestablement le droit et le devoir de présenter Yveline. Faudrait-il donc renoncer à l'avoir chez elle ? faudrait-il se soumettre à perdre la moindre parcelle d'une autorité, d'une influence dont Mme de la Rouveraye ne s'était jamais montrée plus jalouse ?

Ce n'était pas sans raison que la grand-maman se sentait inquiète. La nature de la jeune fille, ployée, non rompue par l'éducation, se faisait jour à de certains moments avec une fougue inattendue. Yveline était bien la sœur d'Edme et la fille de son père. La politesse indifférente de son éducatrice avait pu lui donner un vernis superficiel ; bien mieux, pendant les années d'enfance, elle avait été réellement l'aimable petite fille parfaitement égoïste et bien élevée, qui à des yeux mondains semblait l'enfant modèle. Mais on ne peut briser par les circonstances extérieures un organisme vivant et fort : la vraie nature d'Yveline, une fois soustraite à l'influence unique, s'était développée au milieu de compagnes de son âge, par l'étude, par le contact, par la réflexion ; la chaleur de cœur, qu'on croyait nulle ou éteinte en elle, couvait dans la cendre, dévorant chaque jour sa mince enveloppe, prête à éclater au premier choc.

C'est le sentiment de cette vie latente qui, par une pudeur exagérée, forçait Yveline à se replier davantage sur elle-même, à sembler plus indifférente et plus glacée. La jeune fille avait presque peur de ce qu'elle devinait dans son âme ; elle aurait rougi, dans une société où tout n'était qu'apparence, de laisser soupçonner une pareille intensité de vie ; elle se serait crue en faute, si l'instinct irrépressible de la vie ne lui avait répété qu'elle n'était pas faite uniquement pour sacrifier aux conventions spéciales du monde qu'affectionnait Mme de la Rouveraye.

C'était un monde charmant, mais creux et vide. Les femmes y étaient parfaitement bien élevées, les hommes s'y montraient sans reproche, les opinions y étaient modérées, les actions pondérées, les sourires ne s'y accentuaient jamais trop, afin de ne pas dégénérer en rire : d'abord parce que le rire bruyant est vulgaire, et aussi parce qu'il creuse des plis sur le visage. Aussi les femmes y étaient éternellement jolies ; la vieillesse ne s'y trahissait que par les défaillances du teint, et encore savait-on corriger les erreurs et les faiblesses de la nature. Les jeunes gens étaient bien mis et saluaient à ravir ; les jeunes filles s'y mariaient sans qu'un pli de leur jeune front trahît une préoccupation intérieure ; mais, chose assez singulière, les jeunes gens de ce monde n'épousaient point les jeunes filles ; ils paraissaient, valsaient, cotillonnaient, puis disparaissaient pour ne plus revenir que longtemps après, mariés ou dignitaires.

On s'y mariait pourtant, dans cet aimable monde tout en demi-teintes, mais les jeunes filles y épousaient des hommes déjà presque murs, où l'art du coiffeur déguisait habilement une calvitie commençante ; point de passion, point d'orages parmi ces êtres si parfaitement corrects... C'était un paradis terrestre tout en grisailles, sans Ève et sans serpent, seulement avec des demoiselles à marier.

Parfois, on voyait apparaître des visages bouleversés ; on se chuchotait à voix basse des choses qui devaient être terribles, mais dès le lendemain tout était rentré dans l'ordre, les visages avaient repris leur expression souriante ; un, quelquefois deux des comparses de cette comédie de bon ton avaient disparu, personne ne demandait ce qu'ils étaient devenus ; si, d'aventure, un imprudent ou une étourdie prononçait leur nom, le silence seul répondait, et se faisait comprendre.

Yveline n'avait pas vu tout cela, malgré sa pénétration, mais elle en avait deviné quelque chose. Lorsqu'elle eut atteint sa dix-septième année, sa taille élevée, son éclatante beauté s'opposèrent à ce que sa présentation fût plus longtemps retardée ; la saison d'été ne permettait point une apparition sérieuse, mais Mme de la Rouveraye, qui avait son idée, invita beaucoup de monde chez elle. Ce ne furent que *garden-parties*, *lawn-tennis*, et tous les plaisirs importés par la mode anglaise. De plus, on dansait le soir et souvent l'après-midi, à la mode française.

Edme, qui, après avoir terminé sa seconde année à Saint-Cyr, allait entrer à Saumur, prenait sa part de tous les plaisirs. Il était devenu un superbe cavalier, de belle prestance et, malgré un reste de mélancolie, de belle humeur. Le secret de son moment de folie avait été rigoureusement gardé par Odile et Richard ; si Mme de la Rouveraye avait su que son petit-fils avait tenté de se suicider, c'est pour le coup qu'elle eût jeté les hauts cris ! Rien au monde n'est plus incorrect qu'une tentative de suicide ! En la poussant bien, on lui eût peut-être fait avouer qu'un suicide manqué est encore plus incorrect, s'il est possible, car enfin, la mort efface bien des choses, tandis que le ridicule... Mais elle n'eut jamais l'occasion de s'exprimer à ce sujet.

On s'amusait donc beaucoup à la Rouveraye, dans un monde irréprochablement élégant. Une seule ombre obscurcissait un coin de ce tableau : la présence inévitable d'une parente éloignée, veuve, avec ses deux enfants, un fils et une fille.

Ces gens de peu appartenaient à la famille de feu M. de la Rouveraye ; si bien apparenté qu'on soit, il y a dans presque toutes les familles une branche grêle et disgracieuse, dont on ne sait que faire et dont on ne peut se débarrasser. Ils portaient un beau nom, honoré dans ce pays, mais ils étaient devenus pauvres, le père étant un peu fou et plein d'inventions baroques. Il était mort, laissant tout juste de quoi vivre à sa femme, qui avait élevé ses enfants au milieu d'innombrables difficultés. Elle avait réussi cependant, ou du moins la part principale de sa tâche était remplie, car l'aîné, son fils, après avoir fait un brillant service d'internat dans les hôpitaux, venait d'être reçu médecin. La jeune fille, âgée de dix-huit ans, n'était ni jolie ni élégante. Tels qu'ils étaient cependant, on ne pouvait faire autrement que de les inviter ; on se fût fait blâmer de toutes les petites gens du pays, et Mme de la Rouveraye tenait à sa popularité, même parmi les humbles.

Si encore Mme de Présances n'eût pas annoncé à l'univers que son fils avait l'intention de s'établir dans ce pays, pour exercer ! Conçoit-on un Présances recevant les quarante sous d'un paysan pour sa consultation ? Ils auraient dû avoir le tact de rester à Paris, où l'on se perd dans la foule ! Mais ni M. ni Mme de Présances n'avaient jamais eu la moindre idée de ce qui se doit ou ne se doit pas.

Yveline avait écouté tous ces raisonnements, et avant qu'elle eût vu la famille de Présances, elle les avait trouvés excellents. Quand elle l'eut vue, ils lui semblèrent médiocres.

Berthe était certainement lourde et gauche, mais elle avait de si beaux et si bons yeux ! quand elle vous regardait, on ne pouvait plus la trouver laide. Mme de Présances devait avoir été prodigieusement jolie, mais elle ne s'était pas contentée de sourire, afin de ne pas se gâter la bouche ; étant jeune, elle avait peut-être beaucoup ri ; étant plus âgée, elle avait certainement beaucoup pleuré, et rien ne vous abîme un visage comme les larmes. Que de bonté pourtant sur ces traits fatigués, que de douceur dans ces yeux cernés de rides, quelle grâce dans ce sourire, auquel manquaient deux dents, que la veuve et la mère n'avaient pas eu le moyen de faire remplacer ! Ces dents absentes agaçaient particulièrement Mme de la Rouveraye.

– On n'a pas le droit de se montrer en public comme cela, disait-elle avec un peu d'énervement. On doit des égards aux personnes que l'on fréquente, et ceci est un manque d'usage absolu !

Yveline avait d'abord regardé les dents, puis le sourire avait gagné son cœur, et l'on ne sait pourquoi, elle avait aimé ce doux visage flétri.

– Tu ne devrais pas t'occuper autant des dames de Présances, lui dit un jour sa grand-maman ; elles ne sont pas de notre monde, et cela te fait négliger d'autres personnes plus intéressantes.

La plupart des jeunes filles, – est-ce bien seulement les jeunes filles ? – ont à leur oreille gauche un malin esprit, nommé esprit de contradiction, fécond en ressources, prodigieux comme inventeur, qui trouve aussitôt des raisons excellentes et sans nombre pour justifier – que dis-je ? glorifier ! – les actions opposées aux conseils des anciens. Cet esprit était posté tout contre le cœur d'Yveline, le jour où sa grand-mère eut l'idée malencontreuse de lui adresser le petit discours ci-dessus, et, le cœur aidant, Mme de la Rouveraye fut complètement battue.

Yveline regarda les personnes plus intéressantes auxquelles on faisait allusion et ne les trouva pas intéressantes du tout. Parmi celles-là se dressait avec grâce, pareil à un épi de seigle dans un champ d'avoine, un certain M. de Varcourt, totalement conforme au programme : imperceptible commencement de calvitie, embonpoint suffisant, tenue admirable, monocle d'or... Il avait de plus, étant blond, un teint très délicat, nuancé d'un rose qui, à la moindre émotion, envahissant son cuir chevelu, transparaissait sous le léger voile de ses cheveux fins.

– Il est laid quand il rougit, M. de Varcourt, pensa l'irrévérencieuse.

Au même instant, l'infortuné, dont les yeux bleus, tant soit peu à fleur de tête, se fixaient sur la charmante Yveline, s'aperçut qu'elle le regardait, et sa rougeur s'accentua.

– Mon Dieu ! qu'il est donc laid ! conclut la jeune fille en s'asseyant auprès de sa chère Mme de Présances.

La chance voulut qu'en ce moment Georges de Présances fût à deux pas de là ; avait-il deviné les pensées d'Yveline au sujet de sa mère ? souffrait-il de voir négligée par ces belles dames et ces beaux messieurs la chère « mamine » qui, pour faire de lui un homme d'abord, un bon médecin ensuite, s'était privée de tout, et même – faut-il l'avouer ? – s'était perdu les yeux à raccommoder des dentelles pour de l'argent ? Toujours est-il qu'il regarda Yveline avec un sourire qui la remerciait, et, pour la première fois de sa vie, Yveline sentit qu'elle rougissait à cause d'un regard.

– Alors, vous voilà fixés dans le pays, ma cousine ? dit-elle à Mme de Présances. Elle l'avait appelée « madame » jusque-là, mais ce mot cousine lui paraissait plus doux et plus intime, appliqué à cette excellente femme dont les yeux avaient tant pleuré.

– Nous habiterons hiver et été notre petite Maisonnette, répondit celle-ci.

– Votre fille ne s'y ennuiera pas ?

– Nous n'en aurons pas le temps ! Si vous saviez tout ce qu'on a à faire quand on est obligé de se restreindre ! Et puis nous aurons Georges le soir... Espérons qu'on ne le dérangera pas trop souvent la nuit !

Yveline regarda Georges avec un intérêt nouveau. C'est vrai, pourtant, on dérange les médecins la nuit ! Cela ne lui avait jamais paru extraordinaire, et cependant, à y réfléchir, cela devait être très désagréable. Comme Georges lui tournait le dos, et qu'elle le voyait seulement en profil perdu, elle prolongea un peu sa contemplation.

– Ce n'est rien, cela, reprit Mme de Présances, à qui, tout en regardant, elle avait communiqué ses idées : être dérangé est peu de chose, et l'on s'y accoutume, mais ce sont les épidémies... On souffre bien, quand on aime ses enfants.

Ceci était un point de vue tout neuf pour Yveline ! elle n'avait jamais vu autour d'elle une mère souffrir pour aimer ses enfants. On aimait sans souffrance dans ce monde si parfaitement distingué.

– Lorsqu'il a attrapé la diphtérie, continua Mme de Présances, en suivant son fils du regard, j'ai été bien malheureuse, – mais si fière lorsqu'il a été sauvé !

– Fière ? demanda Yveline sans comprendre.

– Mais oui ! Il l'avait prise en soignant les malades à l'hospice... cela vaut des galons, cela... Aussi on lui a promis la croix, mais il est encore trop jeune...

– Quel âge a-t-il ? demanda distraitement Yveline.

– Vingt-quatre ans... S'il avait dû mourir, on la lui aurait envoyée ; mais comme il en est revenu... J'aime mieux l'avoir vivant et sans croix, vous comprenez !

L'heureuse mère riait, mais son rire était mouillé de larmes, et tout à coup Yveline la trouva délicieuse avec les deux dents qui manquaient.

– Ma cousine, voulez-vous me permettre de vous embrasser ? lui dit-elle.

– Avec plaisir, chère enfant !

Georges qui se retournait, on ne sait pourquoi, les vit en ce moment : Mme de la Rouveraye ne les vit pas. À la même minute, elle disait à M. de Varcourt, en tête-à-tête dans un coin isolé du salon voisin :

– Avez-vous remarqué comme Yveline est jolie aujourd'hui ?

– Adorable ! Qui ne serait touché de sa grâce et de sa beauté ?

– Eh bien !... allez le lui dire... avec des ménagements, n'est-ce pas ?

– Sans doute, sans doute... Alors, vous m'autorisez ?...

– Je vous l'ai dit, mon cher Varcourt ; vous me plaisez infiniment, et je crois que vous lui plairez. C'est une très bonne enfant et très bien élevée, qui ne voudrait pas me faire de peine ; elle vous acceptera quand je lui aurai dit que je le désire ; mais il ne sera pas mal que vous tâchiez de lui plaire par vous-même.

– Varcourt s'inclina d'un petit air satisfait. Il n'était pas fâché, au fond, d'avoir à plaire par lui-même.

– Et la famille... M. et Mme Richard Brice... vous en êtes sûre : pas d'opposition ?

Mme de la Rouveraye fit un geste qui signifiait : Ne vous occupez donc pas de ces choses-là ! – Varcourt rougit de satisfaction sous ses cheveux fins comme de la soie, et se dirigea vers Yveline.

– Qu'il est donc laid ! Et qu'il est drôle ! pensa la jeune fille en t'apercevant. Il a l'air d'un bébé en cire, qui aurait des moustaches !

Et sentant le fou rire la prendre, elle s'enfuit dans le jardin, où Varcourt n'osa pas la suivre.

## XVII

L'imagination des jeunes filles parcourt beaucoup de chemin en peu de temps. Yveline se fit un tableau délicieux de la vie dans la maisonnette où vivaient les Présances. Cette existence resserrée, pour ne pas dire étroite, lui sembla la plus belle de toutes ; elle n'était pas sans avoir entendu parler de Nausicaa, fille de roi, lavant son linge à la rivière ; on pouvait donc accomplir les travaux les plus humbles sans rien perdre de son grand air et de sa dignité, et Yveline était bien sûre que Mme de Présances, quoi qu'elle fît, serait toujours une femme distinguée, malgré ses petites robes usées et la modestie souffrante de son maintien.

À quoi tiennent les choses ! Si Mme de la Rouveraye n'avait point critiqué sa cousine pauvre, Mlle Brice n'eût peut-être jamais remarqué le cousin Georges !

Cousin ? ils l'étaient vraiment, mais si peu qu'il fallait avoir bonne envie de s'en souvenir pour ne point l'oublier, et Yveline, qui disait « ma cousine » à la mère, qui appelait la fille par son petit nom, ne songea point un instant à retirer le « monsieur » qu'elle appliquait au fils. Bien mieux, ce n'était point « monsieur Georges », mais « monsieur de Présances » ; et Georges ne sut point s'aviser que cette appellation cérémonieuse s'adressait au parent dédaigné par la grand-mère, redressé ainsi par Yveline de toute la hauteur des égards dus aux gens de qualité.

Lui, l'infortuné ! l'avait d'abord nommée Mlle Yveline, comme il convient, et depuis quelque temps, il l'appelait : Elle !

On a beau avoir été carabin, se sentir encore gêné aux entournures par son diplôme tout neuf de docteur, qui vous enveloppe comme une toge ; on a beau donner des consultations gratuites aux paysans madrés sur les grandes routes, en rêvant de hautes études quelque jour, dans la capitale, – on n'est point invulnérable. Qu'on ait renoncé à la science pour le présent, afin de donner du bien-être à la chère mère qui s'est perdu les yeux pour vous ; qu'on ait immolé, non sans rages et humiliations secrètes, son bel idéal d'avenir, pour gagner quelques écus au lieu d'en dépenser beaucoup d'autres ; qu'on se soit dit : « Je n'aimerai point, pour être tout à mon devoir maintenant, tout à mes études plus tard... » cela n'empêche pas qu'on ne rencontre un jour le regard de deux yeux purs de jeune fille, et qu'on n'aime alors, follement, désespérément.

Malgré leur supériorité avérée, les hommes, en vérité, ne sont pas très forts ! pour la plupart, du moins. Les uns se vantent de ne chercher dans la vie que le plaisir, et rougiraient comme d'une tare s'il leur fallait avouer qu'à un certain jour ils ont aimé tout bêtement, et souffert, comme on souffrait sans en rougir, autrefois ; ceux-là dédaignent la femme et s'en font mépriser pour peu qu'elle ait le sentiment de sa dignité. D'autres, au contraire, se prosternent devant elle comme devant une idole, divinisant ses faiblesses, adorant ses fautes, faisant, – non aux meilleures, – un piédestal d'où ils n'ont ensuite rien de plus pressé que de renverser la déesse, aussitôt traînée aux gémonies ; et par un retour cruel, ils sont méprisés des femmes méprisables, quoique mille fois plus dignes et moins mauvais que les précédents. Et bien peu, savourant les joies dont l'existence n'est pourtant pas prodigue, ouvrent leur cœur lorsque l'heure est venue, aiment simplement, de tout leur être, une honnête enfant qui peut les aimer, et s'en vont sur la route de la vie avec une compagne qui partage avec eux les jours de pluie et les jours de soleil.

Georges de Présances était de ceux-là : pourquoi fallait-il que, par la malignité des choses, il fût condamné à longer toujours le mur du paradis, sans pouvoir y pénétrer ?

Il passa dans la maisonnette plusieurs nuits très douloureuses, à rêver devant un ciel sans étoiles aux cruautés du destin. Il avait fait d'avance le sacrifice de son avenir, pourquoi fallait-il que la tentation vînt le tirer par la manche, en lui disant : – Regarde, comme elle est jolie, bonne, séduisante ! regarde-la bien, remarque l'aimable sourire de ses beaux yeux quand ils s'arrêtent sur toi, – et sache qu'elle n'est pas pour toi, qu'elle ne saurait jamais t'appartenir, et, mieux encore, qu'elle sera à un autre !

Le pauvre Georges, très consciencieux, se dit et se répéta tout cela, et se le répéta si bien qu'une aube tardive de septembre le trouva un jour à sa fenêtre, les mains mouillées des pleurs héroïques qu'il avait versés, et le cœur très haut, tout saignant du sacrifice.

– Quand ma mère sera morte, quand ma sœur sera mariée, j'irai hors de France, aux pays meurtriers où les plus braves frémissent d'être envoyés, et là, je mourrai obscurément, en sauvant des vies obscures... moi qui avais rêvé d'arracher tant de secrets à la nature mystérieuse !

Cependant, il accompagnait à la Rouveraye sa mère et sa sœur tous les jeudis ; pouvait-il se soustraire à ces visites hebdomadaires, alors que tout le monde s'y rendait avec tant d'empressement ? Il se donnait de plus le plaisir douloureux de voir son idole courtisée par les autres. Avec le flair des amoureux, il avait vite deviné le prétendant encouragé par la grand-mère, et l'avait trouvé sot, niais, prétentieux. Yveline ne l'accueillait pas d'une façon très encourageante, mais ne sait-on pas que les jeunes filles ne peuvent témoigner leurs sentiments qu'après les démarches officielles ?

Si, au lieu de se torturer ainsi à plaisir, le pauvre garçon avait observé attentivement, il eût acquis la certitude que l'impitoyable Yveline traitait le beau Varcourt comme la raquette traite le volant. C'est fort amusant d'être courtisée quand le cœur n'est pas en jeu ; du moins est-ce l'avis de Célimène, et Yveline n'était point sans quelque parenté lointaine avec cette belle et dangereuse personne. Après avoir commencé par rire et s'enfuir à la vue du protégé de sa grand-mère, elle lui permettait maintenant de lui parler, et lui répondait avec cette sérénité parfaite des jeunes filles, qui a trompé et qui trompera encore plus d'un fat. Cependant, Varcourt n'avait encore jamais pu trouver l'occasion de placer une parole décisive. Ce n'était pas tout à fait sa faute : Yveline avait résolu en elle-même que cette parole ne serait pas prononcée, et elle s'y appliquait le plus consciencieusement du monde.

Mme de la Rouveraye s'inquiétait un peu de cette coquetterie ; elle se fût inquiétée bien davantage si elle avait pu lire dans les pensées secrètes de sa petite-fille ! Mais comme la plupart des personnes froidement autoritaires, la bonne dame ne s'imaginait pas qu'on pût avoir des idées bien arrêtées : accoutumée à mener tout le petit monde qui gravitait autour d'elle, elle acceptait volontiers comme une chose naturelle l'absence de personnalité. Pour ce qui concerne Yveline, elle s'était trompée, et cette découverte lui causa beaucoup d'émotions.

M. et Mme Richard Brice devant arriver prochainement, la grand-maman se décida à interroger l'amoureux Varcourt sur les progrès de son entreprise. Il était à souhaiter que le prétendant fût agréé avant la venue des parents, de façon qu'on pût leur présenter la chose comme toute faite. Varcourt avait une belle fortune, une belle santé, un beau nom, une belle situation d'homme honorable, une propriété tout à fait voisine de la Rouveraye ; la grand-maman défiait quiconque de trouver un parti plus acceptable.

Que pourraient dire M. et Mme Richard ? qu'on ne s'était guère occupé d'eux en tout cela ? Mais on n'avait nul besoin de s'occuper d'eux ! L'éducation d'Yveline, Dieu merci ! s'était faite sans leur participation ; il en serait de même de son mariage. Il y avait bien Mme Brice... on avait totalement négligé Mme Brice, force était d'en convenir ; mais depuis qu'elle faisait cause commune avec M. et Mme Richard, elle n'était plus ni de bon conseil, ni même d'une grande importance. Et puis, si Varcourt plaisait à Yveline ? Cet argument ne serait-il pas sans réplique ?

Il fallait que Varcourt plût à Yveline ; il devait lui plaire, c'était évident.

– Eh bien ! mon cher ami, avez-vous avancé vos affaires ? dit un beau jour Mme de la Rouveraye à son protégé, pendant que la jeunesse dansait dans le salon voisin.

Varcourt ne dansait guère que sous une contrainte directe, et c'était une des petites choses qui ennuyaient Mme de la Rouveraye. Une jeune femme doit danser, rien n'est plus clair, et il est bon que son mari ne redoute pas la danse. Si Varcourt avait aimé la danse... Enfin, on n'est pas parfait !

– Je ne saurais trop vous dire, répondit l'heureux mortel en rougissant ; Mlle Yveline voit mes attentions d'un bon œil... j'ose l'espérer, au moins... mais enfin, je ne puis pas dire que, jusqu'ici, elle m'ait autorisé à... enfin... je ne sais pas...

– Aussi, vous manquez d'énergie, répliqua Mme de la Rouveraye avec un petit mouvement d'humeur ; ce n'est pas si difficile, voyons !

– Je vous assure, chère madame, que... c'est beaucoup plus difficile que vous ne semblez le croire, répondit Varcourt en essuyant son front rose avec un mouchoir de batiste à ses armes, brodées en couleur. C'est très... très difficile... Mlle Yveline ne... ne m'encourage pas...

– Vous causez tout le temps avec elle !

– Elle cause, certainement... elle cause même beaucoup... mais je ne connais rien, rien absolument, je vous assure... de ses sentiments personnels... surtout à mon égard !

Après avoir laborieusement terminé cette phrase, Varcourt jeta un regard inquiet sur la porte du salon, où passaient et repassaient des groupes de danseurs. Yveline ne dansait pas. Assise dans un petit coin avec Berthe et sa « chère cousine », elle se faisait raconter des épisodes de l'enfance de Georges, et Mme de Présances, qui n'y entendait pas malice, lui narrait, avec l'abondance émue des mères, toutes sortes de choses enfantines qui faisaient sourire la jeune fille. Assise sur une chaise basse, les coudes appuyés sur les genoux, un peu penchée en avant, les yeux levés vers la conteuse, elle buvait ses paroles, secouée de temps en temps par un fou rire, que partageait Berthe, au récit des exploits fantastiques de leur bon jeune temps.

Georges avait erré longtemps autour du petit groupe, en se jurant de ne point s'approcher, et puis il s'était assis tout à côté, sans faire mine de prendre part à la conversation. Mais il n'en perdait rien ; il entendait les questions saugrenues d'Yveline, et son rire jeune, étouffé par les convenances ; il sentait, comme s'il les avait vus, les yeux de la jeune fille fixés sur le petit garçon qu'il avait été, sur l'adolescent, puis sur le jeune homme... et il lui semblait qu'à de certains moments ces yeux fiers et doux se baissaient, lorsque sa sœur, parlant de lui avec l'abandon sororal, le présentait à Yveline d'une façon trop familière et trop intime.

– Ah ! conclut Mme de Présances, avec un soupir d'aise, c'est que mon Georges aimait bien sa mère !

– Sa mère ! répéta Yveline, devenue soudain toute grave. Sa mère...

Ce mot lui semblait très doux ; pour la première fois, elle y voyait tout ce qu'il y mettait de tendre, de reconnaissant, de grandiose et de familial... Mme de Présances la regardait, un peu surprise.

– C'est que je n'ai pas eu de mère, moi, dit Yveline.

Georges la regarda en face. Pas de mère, pauvre enfant ! Elle avait ignoré toutes ces joies exquises, ces abandons de soi-même en des mains caressantes, cette confiance sans bornes, cet appel de l'enfant vers celle qui est tout... Yveline se tourna lentement vers ce fils qui avait tant aimé sa mère, et son jeune sang monta à ses joues délicates, tant il y avait de pitié, de tendresse inavouée... et de chagrin dans ces yeux pleins aussi de respect.

Le cœur d'Yveline tressaillit étrangement, comme un oiseau qui bat de l'aile dans une main victorieuse : une sensation brusque l'envahit ; elle crut qu'elle perdait pied dans une eau inconnue, dont les vagues la berçaient très doucement en l'emportant.

– Ah ! mon Dieu ! se dit-elle, ce n'est pas possible que je l'aime !

Elle pâlit tout à coup, et Berthe s'alarma.

– Vous souffrez ? dit-elle.

Georges s'était levé et s'approchait.

– Non, non, répondit Yveline précipitamment. Ce n'est rien... je vais voir si grand-maman...

Elle avait disparu avant qu'on eût pu la retenir.

– Qu'a-t-elle ? demanda Mme de Présances toute bouleversée.

– Maman, dit Georges, viens par ici, il faut que je te dise quelque chose...

Il la tirait à l'écart.

– Ne lui parle plus de moi... je t'en prie... c'est parce que tu m'aimes et que tu me crois intéressant, mais...

Mme de Présances l'écoutait sans comprendre.

– Vois-tu, reprit Georges avec effort, c'est imprudent, ce que tu fais là... on ne nous connaît pas beaucoup dans cette famille, et nous aurions l'air... de ce que nous ne sommes pas...

– Explique-toi, mon enfant, dit sa mère, comprenant moins que jamais.

– Elle est riche, dit le malheureux garçon sans pouvoir prendre sur lui de prononcer le nom adoré ; – elle est très riche, et nous sommes très pauvres, – il ne faut pas qu'on puisse croire à... à un calcul...

– Ah ! mon pauvre enfant ! fit la mère en lui prenant les deux mains ; tu... tu l'aimes ?

Il arracha ses mains de l'étreinte affectueuse et quitta la galerie où ils se trouvaient.

Quand il reparut, ce fut pour dire à sa mère que leur petite voiture les attendait ; il y fit monter les deux femmes, qui se serrèrent l'une contre l'autre pour lui faire place, monta près d'elles et prit les rênes.

Comme il rendait la main à son cheval, vrai bidet de médecin, accoutumé à tous les temps et payant peu de mine, Yveline se pencha à une fenêtre. C'était la fenêtre de son ancienne chambre d'enfant, celle d'où elle s'était montrée à son père, dans le nimbe de ses cheveux d'or, illuminés par un rayon de soleil. Telle était apparue la petite fille aux yeux émerveillés de Richard, telle parut la grande jeune fille, dans la même auréole, dans un semblable rayon, aux regards de celui qui l'aimait.

Elle s'était, on ne sait pourquoi, réfugiée dans cette chambre où elle avait passé les années de sa petite enfance, chambre dédaignée à présent, où nul n'allait jamais. Dans le grand tumulte de son âme, elle avait instinctivement cherché asile au milieu des témoins d'une vie où tout était paix et joie. Le bruit des roues l'avait attirée à la fenêtre ; elle l'avait ouverte avec une vague appréhension ; dans l'ivresse profonde qui la troublait, tout, depuis une minute, lui semblait inquiétant.

Georges, sa mère et Berthe levèrent la tête, au léger craquement du bois déshabitué de jouer dans la rainure. Yveline rougit encore sous ce soleil qui lui emplissait les yeux et le cœur.

– Vous partez déjà, cousine ? dit-elle d'une voix étrangement mélodieuse.

L'air du soir était si calme que ses paroles tombèrent sur eux comme des perles de cristal, quoiqu'elle eût parlé presque bas.

– Nous rentrons, dit Berthe, voyant que les autres gardaient le silence.

– Je vous attends jeudi, n'est-ce pas ? Tous les trois ? dit Yveline.

Georges la regarda, pour emporter dans sa mémoire la radieuse image, puis il salua et toucha du fouet son bidet un peu lourd. Quel triste équipage de médecin de campagne ! Fallait-il que la male-chance gravât un tel souvenir dans la mémoire d'Yveline ? fallait-il que ce fût ainsi qu'elle l'eût vu pour la dernière fois ?

– Au revoir ! dit Berthe, et le modeste cabriolet s'en alla cahin-caha sur la route, suivi par les yeux d'Yveline. Si Georges l'avait su ! Le soleil faisait une gloire d'or au vernis de l'humble carriole, qui, pour l'héritière de la Rouveraye, était plus belle et plus flamboyante que le char d'Apollon !

Mais Georges ne savait pas, et tout le temps de la route, en mâchonnant sa moustache, il lui semblait mordre les morceaux de son orgueil humilié.

# XVIII

Le dîner et la soirée furent interminables ; quelques-uns des hôtes étaient partis, d'autres étaient restés, ce qui trouble le plus souvent l'harmonie d'une réunion. Tout le monde s'ennuya ce soir-là à la Rouveraye, excepté Yveline, qui vivait dans un éblouissement ; le soleil lui était resté dans les yeux. On partit de bonne heure, et lorsque la jeune fille vint embrasser sa grand-mère, comme de coutume, en lui souhaitant le bonsoir, Mme de la Rouveraye fit un mouvement pour la retenir : elle avait presque envie de lui parler sur-le-champ du mariage projeté. Mais un peu de fatigue l'arrêta ; elle renvoya au lendemain l'explication, et congédia simplement sa petite-fille.

Jamais Yveline n'avait éprouvé à ce point le besoin d'être seule ; depuis le moment où l'humble cabriolet avait disparu au bout de l'avenue, elle sentait des impatiences la parcourir comme des frissons ; elle aurait voulu secouer la contrainte de toutes ces présences intolérables ; le dîner n'en finissait pas ; le bavardage des hôtes, qu'elle supportait fort bien d'ordinaire, y ajoutant la gaieté de son rire, tous ces propos mondains lui semblaient d'un vide et d'un oiseux dont elle était dégoûtée. Lorsqu'elle eut renvoyé sa femme de chambre et qu'elle se vit seule dans le joli nid de sa jeunesse, elle regarda autour d'elle avec ravissement.

Tout lui paraissait plus grand, plus beau et plus aimable ; elle eût cru volontiers que les murs s'étaient écartés, que le plafond s'était envolé, et que le ciel pur, criblé d'étoiles, s'ouvrait au-dessus de sa tête. Quelque chose de chaud, de vibrant, de solennel, emplissait son âme de mouvement, de vie et de prière.

– Ah ! pensa-t-elle, je suis heureuse, je me sens riche d'aimer...

Sa joie tomba tout à coup ; un mot venait d'évoquer la réalité au milieu de son rêve : riche... c'était là l'obstacle ; un homme tel que Georges ne pouvait pas aimer une héritière... il devait dédaigner les richesses, ce travailleur ! Mais elle... il ne la dédaignait pas ?

Elle rougit, seule dans sa chambre close ; non, certes, il ne la dédaignait pas ! Elle en était bien sûre ! Bah ! cela s'arrangerait. Est-ce que tout ne s'arrange pas ? À dix-huit ans, surtout, est-il des obstacles sérieux ?

Elle se coucha les mains croisées sur sa poitrine, pour y enfermer sa pensée qui palpitait si doucement. Elle resta quelque temps dans l'obscurité, les yeux fermés, savourant sa joie, puis s'endormit tout à coup sans transition, comme un petit enfant.

Le lendemain était un vendredi ; Mme de la Rouveraye n'y avait songé qu'au réveil, ce qui l'ennuya fort, son principe étant de ne rien entreprendre un vendredi. Il fallait donc remettre au samedi ; c'était d'autant plus fâcheux qu'Edme devait arriver dans l'après-midi de ce jour ; il ne resterait donc que la matinée, mais ce serait plus que suffisant, et Mme de la Rouveraye prit son parti du contretemps.

Edme vint inopinément dans la journée ; avec un peu d'habileté, il avait gagné quelques heures qu'il consacrait à sa sœur. Il la trouva fort embellie, et l'éclat tout nouveau de ce joli visage ne put échapper à ses yeux de frère.

– Que t'est-il arrivé ? dit-il en souriant. On t'a fait un cadeau ? ou bien as-tu réduit au désespoir quelque amoureux ? Tu as un air de triomphe !

– Peut-être ! fit Yveline en éclatant de rire. Elle songeait à l'inévitable déconfiture de Varcourt, qu'elle ne pouvait prendre au sérieux.

– Déjà ! Tu commences bien ! Tu fais des malheureux ? Prends garde à ton tour...

Elle avait tellement rougi, qu'il n'acheva point sa phrase, et resta interdit.

– Il y a anguille sous roche, se dit-il, ma sœurette est toute changée...

Elle ne voulut point lui laisser le temps de renouveler son attaque.

– Mon père est aux Pignons ? demanda-t-elle.

– Non ; notre mère Odile seulement. Mon père viendra dimanche.

– Tu es arrivé seul ?

– Avec Jaffé ! Il ne s'en retournera que demain matin, avec des commissions.

Elle se trouvait à court de questions et ne savait plus que dire ;

elle alla au piano, joua quelques mesures d'un nocturne de Chopin, puis s'arrêta, en sentant qu'elle jouait trop bien, et que l'intensité de sentiment exprimée par ses doigts allait la trahir aux yeux de ce frère clairvoyant. Soudain, elle prit sa résolution, vint à Edme, et, le regardant dans les yeux :

– Si tu voulais te marier, dit-elle, crois-tu que notre père s'y opposerait ?

– Est-ce bien de moi qu'il est question ? demanda le jeune homme en lui prenant les deux mains. Elle résistait un peu, il l'attira et la fit asseoir près de lui.

– Enfin, reprit-elle, non sans embarras, supposons que tu veuilles te marier... cela peut arriver, n'est-ce pas ?

– Moi, dit-il, je suis à l'école de cavalerie, je n'existe pas, pour le moment ; mais quand le temps sera venu où je pourrai me marier, je suis convaincu que mon père n'y apportera point d'opposition.

– Même si... si la jeune fille était pauvre ? demanda Yveline, fière de son stratagème.

– Ah ! il est pauvre ? pensa Edme, souriant malgré lui de la naïve duplicité de sa sœur. Il répondit tout haut : Je ne crois pas que la pauvreté fût un obstacle pour moi.

– Pour toi ? répéta la jeune fille inquiète, en le regardant.

– Oui ; pour un homme, veux-je dire.

– Pour une femme, ce ne serait pas la même chose ?

Edme resta perplexe. Sa philosophie n'était pas encore très compliquée, et il eut été fort embarrassé d'expliquer ce qu'il sentait très bien.

– Je ne sais pas... dit-il enfin ; mon père est un homme très droit, très bon...

Il s'arrêta. Le souvenir de la sévérité de Richard avait perdu pour lui toute amertume, mais ne s'était pas effacé de son âme.

– Si c'était moi, reprit-il, si j'avais une inquiétude, une peine, je sais bien ce que je ferais... je la confierais sur-le-champ à ma mère Odile.

Yveline fit une moue très significative. Que lui importait Odile ! Et pourquoi Edme venait-il sottement la mettre entre eux, dans cet entretien confidentiel ?

– Je sais, continua le jeune homme,... tu ne la connais pas... c'est dommage... tu l'aurais aimée, et elle t'aime tant !

Yveline sursauta d'étonnement et regarda son frère.

– Elle m'aime ?

– Elle t'aime, ma sœur, loin de toi, sans sympathie de ta part, elle songe à toi, elle souffre de ton indifférence, et elle te chérit...

– Pourquoi m'aimerait-elle ? reprit Yveline, retournant à son ancien argument.

Cette fois, Edme connaissait mieux la vie ; on ne regarde pas impunément la mort en face ; la grande secousse qu'il avait subie l'avait mûri au-delà de ses années, il put répondre.

– Elle t'aime, dit-il avec chaleur, parce qu'elle aime notre père. Tu ne sais pas, Yveline, ce que c'est que d'aimer passionnément...

Elle baissa tes yeux, de peur qu'il ne lût en elle.

– D'aimer en donnant toute son âme, de sentir que la colère ou la joie d'un être cher vous font le ciel noir ou bleu, qu'on est riche si l'être aimé vous aime, et qu'on serait misérable s'il vous méprisait.

– Tu as aimé quelqu'un comme cela ? demanda la jeune fille surprise.

– Oui ! J'ai aimé ainsi mon père, autrefois, quand j'étais enfant, – et maintenant...

– Eh bien ?

– Maintenant, j'aime ainsi ma mère Odile, à qui je dois tout !

Yveline se recula un peu ; quelque chose était froissé en elle par cet enthousiasme ; son éducation de préjugés et de conventions ne lui permettait pas d'entrer dans l'esprit de son frère.

– Tout ! reprit-elle ironiquement, c'est beaucoup. Si tu dois tout à cette étrangère, que te reste-t-il pour notre mère, qui t'a pourtant donné la naissance ?

Edme saisit la main de sa sœur avec une solennité touchante sur ce jeune front.

– Ma sœur, dit-il, à notre mère je dois la naissance ; crois-moi, sa mémoire est aussi chère à mon âme qu'à la tienne, quoi que tu puisses en penser ; mais à ma mère Odile, je dois la vie !

– La vie !

Elle le regardait, ne comprenant pas.

– Il faut que tu le saches, ma sœur, car je sens, je devine que tu es à la veille des épreuves ; il faut que tu connaisses la femme que tu as appris à dédaigner, et que tu saches ce qu'elle a fait pour moi.

Avec l'emphase de son âge, qui donnait à ses paroles une intensité presque cruelle, ce philosophe de vingt-trois ans raconta à la jeune fille les scènes qui avaient accompagné son premier examen. Il ne chercha ni à s'innocenter, ni à accuser son père ; depuis longtemps déjà, il avait fait la part de chacun dans cette sorte de duel, causé par la violence de leurs caractères trop semblables ; par la voix d'Odile, il avait appris que ses fautes antérieures avaient été la cause de tout le mal, et son amour pour son père s'était grandi de tout le repentir inspiré par sa folie. Mais s'il ne chercha à rien atténuer, il n'en exalta que plus la tendresse de sa seconde mère, qui, par une sorte de divination, l'avait arrêté sur le seuil du suicide.

Les yeux d'Yveline s'étaient remplis de larmes, bientôt ruisselantes sur ses joues ; de ses deux mains elle tenait serrés les poignets de son frère, haletante, angoissée ; quand il arriva au moment où la balle avait frappé le meuble, sous le geste d'Odile, elle se jeta au cou d'Edme et se pressa contre lui, dans une agonie de sanglots.

– Et tu ne me l'as pas dit ! murmurait-elle à travers ses larmes ; et je n'ai pas su que j'avais failli te perdre ! Je ne t'ai pas assez aimé, mon frère ! J'étais sotte, gaie, indifférente, et pendant ce temps-là, toi... oh ! mon Dieu !

Il l'embrassa et finit par la calmer : ils étaient heureusement seuls dans une ancienne salle d'étude où personne ne pénétrait jamais.

– Pourquoi ne me l'as-tu pas dit ? reprit Yveline, quand elle eut essuyé ses yeux.

– Parce que tu étais trop jeune, – et puis, je ne voulais pas que grand-maman le sut.

Ils restèrent un instant silencieux, oppressés, comme après les grandes crises.

– Comprends-tu, dit Edme ensuite, que j'aime ma mère Odile de toute mon âme ?

– Oui ! répliqua la jeune fille, pensive. Mais toi, elle te connaissait, elle t'avait soigné dans ta maladie...

– Au risque de mourir pour moi, cette fois-là. Et, car il faut que tu saches tout, ma sœur, quand elle s'est installée auprès de mon lit, elle n'avait pas de raison de m'aimer. Étant petit, je l'avais insultée, et je n'avais jamais voulu lui en demander pardon.

Yveline méditait profondément. L'astre nouveau qui, depuis la veille, s'était levé sur son horizon, éclairait pour elle mille pensées jadis obscures ; sa tête meublée de choses apprises, comme celle d'une jolie perruche, ressentait bien encore un peu de vertige, mais elle aimait ce torrent d'impressions nouvelles, grandes et généreuses, qui l'emportait vers ce qu'elle devinait être un paradis inconnu.

– Et tu crois, dit-elle enfin, ramenée instinctivement vers le but de ses pensées, que c'est parce qu'elle aime mon père qu'elle a été comme cela pour toi ?

– J'en suis sûr ! Elle l'aime au point de ne vouloir d'aucune joie s'il n'est pas là pour la partager ; et moi-même, vois-tu, je me retiens de lui dire parfois tout ce que je pense, parce que cela lui ferait de la peine ; je lui dirais des choses que je ne pourrais pas répéter à mon père... Avec les vraies mères c'est comme cela !

Yveline songeait toujours.

– Mon père est la bonté même, reprit Edme, mais il est absorbé par tant de soins, triste parfois aussi ; bref, il a beaucoup de tracas dans la tête ; elle, ne songe qu'à nous !

– Qu'à toi ! reprit Yveline avec une légère touche de jalousie commençante.

– Qu'à nous ! répéta Edme fermement.

– Tu crois qu'elle ferait pour moi ce qu'elle a fait pour toi ?

– Je t'en donne ma parole.

Elle regardait son frère, incertaine et craintive : il l'attira à lui.

– Tu aimes quelqu'un ? lui dit-il avec la bonté encourageante d'un jeune père.

Elle détourna la tête sans répondre.

– Il est pauvre, et tu crains de l'opposition ?

– Bien sûr, grand-maman ne voudra pas ! Mais ça ne ferait rien, si papa voulait bien.

Une pensée tout à fait machiavélique traversa le cerveau d'Edme.

– Tu sais qu'elle te déshéritera si tu lui désobéis, dit-il.

– C'est ça qui m'est égal ! s'écria la jeune fille.

Il lui planta un gros baiser sur chaque joue, tant il était satisfait de la réponse.

– Mais pourtant, il faut que je sache quel est le monsieur qui t'a rendue si libérale des biens de grand-maman, lui dit-il ensuite.

Moitié fière, moitié confuse, Yveline raconta son secret. Elle mit Edme au courant de la vie étroite à la Maisonnette et fut un peu désappointée de voir que ce tableau le laissait froid : elle lui en fit même l'observation.

– Vois-tu, Yveline, répondit-il, je comprends qu'en théorie cela te séduise : mais à Saint-Cyr, pendant deux ans, j'ai ciré mes bottes, recousu mes boutons, astiqué mon fourniment, etc., sans compter le reste, et cette expérience m'a un peu blasé sur le bonheur de se servir soi-même. Je présume que notre père n'aurait pas la cruauté de te réduire à de tels travaux, et qu'il t'accorderait bien au moins deux domestiques. Parle-moi des personnes plutôt que des choses.

Elle s'étendit sur le compte de Berthe et de sa mère ; mais quand Edme lui posa des questions plus directes sur Georges, elle fut fort embarrassée de répondre.

– Pourtant, il a bien fallu que M. de Présances te dît qu'il t'aimait ? fit-il, tout imbu de son rôle de père par procuration idéale.

– Non ! répondit vivement la jeune fille. S'il me l'avait dit, cela m'aurait fait de la peine.

– Pourquoi ?

– Parce que je suis plus riche que lui ! répondit-elle toute confuse.

Edme se leva.

– C'est très bien ; vous êtes très gentils tous deux, mais je ne vois rien de bien sérieux en tout cela. Laisse-moi faire ; je prendrai des renseignements.

– Tu peux être tranquille ! ils seront bons ! fit Yveline d'un air railleur.

Une femme de chambre frappa à la porte.

– On vous cherche partout, mademoiselle, dit-elle. Madame vous fait demander.

Ils descendirent bras dessus bras dessous, joyeux et graves à la fois, et, pendant toute la soirée, ils échangèrent à la dérobée des regards d'entente qui leur donnaient un air de conspirateurs, bien fait pour réjouir leurs jeunes esprits, prompts à s'amuser de tout.

# XIX

Edme cependant avait pris très au sérieux la confiance d'Yveline et son rôle de protecteur. Dès le matin, sous prétexte de tirer quelques coups de fusil, il partit dans les plaines, dorées par un joli soleil de septembre, et, comme on peut le croire, il se dirigea du côté de la Maisonnette, pour en voir au moins l'extérieur.

Pendant qu'il arpentait les routes, en compagnie d'un vieux chien, ami de sa jeunesse, Mme de la Rouveraye avait emmené Yveline dans son petit salon.

Cette pièce n'avait guère changé depuis le jour où Richard y avait reçu notification, seize ans auparavant, de l'arrêt qui le privait de sa fille. On avait renouvelé l'étoffe des sièges, changé les rideaux des fenêtres, et c'était tout. Mme de la Rouveraye elle-même n'avait pas beaucoup plus vieilli que ses meubles ; la grande placidité de la vie l'avait préservée des rides. Seul, son lorgnon, dont les verres avaient dû être renforcés, témoignait du cours des années.

– Ma chère mignonne, dit-elle à Yveline, qui errait dans le salon, rétablissant çà et là la symétrie chère à la vieille dame, assieds-toi donc, j'ai à te parler de choses sérieuses.

Yveline flaira le danger, et dressa moralement les oreilles, comme une jeune pouliche.

– Tu auras dix-huit ans dans quelques jours, fit Mme de la Rouveraye, d'un air posé ; quoique tu sois très jeune assurément, te voilà à l'âge où l'on marie d'ordinaire les jeunes filles, et j'ai à cœur de te voir établie, avant de quitter ce monde...

Toute sa vie, la bonne dame avait escompté sa mort prochaine, et s'en était d'ailleurs fort bien trouvée ; elle n'était point superstitieuse, quoiqu'elle craignît le vendredi.

– J'ai bien réfléchi, continua-t-elle, en réponse au joli regard mélancolique attaché sur elle par Yveline, et j'ai arrêté mon choix sur un parti qui me semble convenable sous tous les rapports.

– Vous avez arrêté votre choix... pour mon mari ? dit la jeune fille d'un ton posé, qui déconcerta un peu la grand-mère.

– Oui... tout se trouve dans cette alliance : un beau nom, une fortune en rapport avec celle que tu dois avoir, un homme aimable, et, de plus, un voisinage qui me permettra, ma chère mignonne, de t'avoir près de moi tout l'été...

– Ce n'est pas M. de Varcourt ? demanda Yveline.

Le calme qu'elle affectait était si peu en harmonie avec ce que l'usage exige des jeunes filles lorsqu'on leur parle mariage, que Mme de la Rouveraye en fut abasourdie, en même temps qu'irritée.

– Et quand ce serait M. de Varcourt ? répliqua-t-elle avec une nuance d'aigreur.

Yveline gardant le silence, la grand-maman reprit l'éloge de son protégé.

– Tu ne dis rien ? fit-elle, agacée enfin de voir se prolonger ce silence d'abord respectueux, puis inquiétant.

– Je vous écoute, grand-maman, répondit la jeune rusée.

– Mais te plaît-il ?

Yveline leva ses yeux bleus sur Mme de la Rouveraye et répondit tranquillement :

– Non, grand-maman.

– Comment, non ? Et tu me laisses aller, t'expliquer, te... Qu'est-ce que cela veut dire ?

– Ma chère grand-maman, M. de Varcourt ne me plaît pas, mais j'ai cru de mon devoir d'entendre tout ce que vous aviez à me dire de lui, dans la pensée que peut-être j'apprendrais quelque chose de nature à m'influencer. Cela ne m'a pas influencée.

– Influencée ? Je ne te comprends pas, mon enfant. Que reproches-tu à M. de Varcourt ?

– Je ne lui reproche rien, grand-maman ; seulement, il ne m'intéresse pas.

Mme de la Rouveraye regarda sa petite-fille avec attention. Un tel argument était absolument nouveau pour elle. Depuis quand se permettait-on de juger un prétendant sous un prétexte aussi futile ?

– Tu voudrais peut-être pour mari un héros, un chevalier du temps des croisades ? dit-elle avec un demi-sourire ; je ne te savais pas romanesque !

– Je ne suis pas romanesque, grand-maman, répondit Yveline,

mais M. de Varcourt n'a rien en sa personne qui ait pu attirer mon attention d'une manière flatteuse.

– Il est joli garçon… insista la grand-mère.

– Il a l'air d'une poupée en peau, dit brusquement Yveline énervée ; avec ses rougissements perpétuels… je ne sais pas si c'est français, ce mot-là ! mais un monsieur qui rougit vingt-quatre heures par jour est absolument ridicule, et je ne pourrais jamais aimer un être ridicule !

– On ne se marie pas uniquement pour l'apparence extérieure, fit Mme de la Rouveraye d'un ton piqué ; M. de Varcourt a des qualités plus solides.

– Sa conversation ? rétorqua irrévérencieusement Yveline. Il est sot comme une lanterne !

– En vérité, ma fille, dit la grand-mère, choquée, je ne sais ce qui te prend ! Tu me parles d'un ton…

– Grand-maman, s'écria la jeune fille, en rougissant de colère, je ne vous reconnais plus ! Vous êtes bonne et indulgente, et voilà que vous voulez me marier à un monsieur absurde ! Vous ne l'avez donc pas regardé ?

La scène qui suivit fut d'une singulière violence. Mme de la Rouveraye, qui ne s'emportait jamais, possédait un arsenal de mots coupants, à double lame, et dont la froide blessure laissait des traces ineffaçables : Yveline, gâtée depuis l'enfance, habituée à un égoïsme inconscient, se voyait pour la première fois soumise à la contrainte. Méconnaissant l'affection réelle de sa grand-mère, pour ne voir que le despotisme présent, elle se révolta et fut franchement ingrate.

Après quelques répliques fort dures de part et d'autre, Mme de la Rouveraye se leva.

– Sans doute, dit-elle, je ne puis pas te forcer à épouser M. de Varcourt, s'il te répugne à ce point ; mais il me semble que mes dix-huit années de tendresse, – en outre de ce que tu dois à ta grand-mère d'après les lois de la nature, – demandaient en récompense un peu plus de soumission.

– Je vous respecte, grand-mère, et je vous aime, répliqua la jeune fille, mais je n'ai jamais cru que dix-huit années de vos soins maternels pourraient entrer en comparaison avec le bonheur de toute ma vie. Quel que soit le mari que le ciel me destine, je veux l'estimer et l'aimer, comme mon père estimait ma mère, et non point voir en lui un fantoche, un épouvantail pour les petits oiseaux !

– Vous êtes folle ! dit posément Mme de la Rouveraye. Montez à votre chambre et n'en sortez que pour me demander pardon.

Elle sortit là-dessus, toute bouleversée malgré son calme apparent, se demandant d'où venait l'inconcevable disposition de sa petite-fille, et à cent lieues de supposer que toute cette indignation provenait d'un jeune amour, né de la veille, et résolu à rester maître de sa destinée.

Monter à sa chambre ? Yveline n'y était pas disposée le moins du monde. Les joues en feu, le sang bouillonnant, elle avait besoin de marche et de grand air pour se calmer. Elle traversa le parterre, et courut dans le parc, où l'ombre et la fraîcheur lui rendirent un peu de tranquillité.

Lorsqu'elle eut apaisé par une longue promenade la surexcitation de ses nerfs, elle s'assit sur un banc et pleura tout à son aise. On avait voulu l'immoler, la sacrifier à des raisons d'intérêt ! Pauvre Yveline ! Heureusement elle ne s'était pas laissé faire, et on ne la marierait pas malgré elle ! Et celui qui l'aimait, que dirait-il s'il savait qu'on la rendait malheureuse à ce point ? Comme elle avait envie de courir à la Maisonnette et de dire sa pensée à la chère cousine ! Était-ce si loin, et n'y pouvait-elle vraiment aller ?

Un retour sur elle-même la fit rougir de confusion. Si Georges était là, que penserait-il en la voyant ? N'aurait-elle pas l'air de venir au-devant de lui ?

Après tout, qu'y aurait-il là de répréhensible ? La fortune qu'elle possédait, par malheur, ne lui imposait-elle pas le devoir de faire une démarche que Georges, pauvre et fier, n'oserait jamais tenter ? Ce serait si doux de venir à lui, les mains tendues, en lui disant : « J'ai tout deviné ! » Mme de la Rouveraye avait raison. Yveline était bien un peu romanesque !

Soudain, elle eut très honte ; que deviendrait-elle si Georges lui répondait froidement : « Vous vous êtes méprise, mademoiselle, je ne vous aime pas ! ». Il n'avait rien dit... Elle pouvait s'être trompée. – Pauvre Yveline ! que la vie était cruelle !

Après avoir bien pleuré, elle reprit le chemin du château ; le déjeuner n'allait pas tarder, et elle ne voulait pas se faire attendre, n'ayant pas pris au sérieux une minute l'ordre de rester dans sa chambre. Elle n'avait jamais été très obéissante ; mais ses désobéissances avaient rarement amené des conflits, sa grand-mère estimant qu'il faut savoir fermer les yeux sur le passé lorsque tout est rentré dans l'ordre ; maxime excellente quand on aime la paix, mais dont les résultats dans l'avenir dépassent parfois les prévisions du présent.

Sans penser à mal, et le plus naturellement du monde, Yveline, très calmée et un peu mélancolique, prit le chemin du château ; en longeant les communs, elle entendit la voix de Jaffé, qui gourmandait :

– Des bêtes comme ça, disait-il au valet d'écurie, et les laisser engraisser ! Mais vous ne savez donc pas ce que c'est qu'un cheval ? Ah bien ! si M. Richard voyait ça !

– Les chevaux ne sont pas à lui, par bonheur, et les gens non plus ! répondit la voix goguenarde du domestique.

Jaffé répliqua quelque chose qu'Yveline n'entendit pas. Curieuse, et aussi blessée de ce qui venait d'être dit relativement à son père, la jeune fille voulut traverser la cour. Le phaéton qui avait amené Edme la veille était presque attelé.

– Bonjour, Jaffé, dit Yveline. Depuis qu'elle aimait son frère, elle s'intéressait davantage au brave homme.

– Bonjour, mademoiselle. Quand est-ce que mademoiselle me fera l'honneur de me permettre de lui enseigner à conduire ? Sans doute, mademoiselle a reçu une belle éducation, mais une éducation n'est pas complète quand on ne sait pas tenir les rênes d'un cheval, et mademoiselle n'a pas appris cela au couvent, je pense ?

– Vous avez raison, Jaffé, répondit Yveline avec un sourire attristé ; ce sera pour un de ces jours, et c'est vous qui serez mon maître.

– C'est beaucoup d'honneur que me fera mademoiselle, mais, sans vanité, je crois que je le mérite, car pour conduire je ne crains personne, et pour avoir soin de mademoiselle... Mademoiselle n'a pas de commissions pour les Pignons ? Voilà que je rentre.

– Moi, non... Vous direz à ma grand-mère Brice que j'ai envie de la voir ; elle devrait m'envoyer chercher un de ces jours.

– On lui dira, mademoiselle. Voilà ! Dans trois minutes on sera parti.

Il rentra dans la sellerie pour endosser sa livrée, et Yveline se dirigea vers la maison.

Comme elle montait les degrés, elle leva les yeux et vit devant elle, dans le hall, sa grand-mère qui la regardait avec des yeux sévères.

Madame de la Rouveraye faisait très rarement montre d'autorité, mais quand cela lui arrivait, elle dépassait la mesure. Un instant après avoir relégué Yveline dans sa chambre, elle était allée l'y trouver pour obtenir des explications et faire la paix, même en sacrifiant l'infortuné Varcourt, si c'était nécessaire. Sa surprise avait été indicible, de trouver la porte ouverte et la chambre vide. L'idée de la possibilité d'une catastrophe n'avait pas même effleuré son esprit, mais la réalité de la rébellion l'avait frappée dans son orgueil et sa responsabilité.

Comment ! elle avait ordonné à Yveline de ne point sortir de sa chambre, et la jeune insurgée n'y était même pas entrée ? Ceci passait toutes les bornes et méritait une exécution en règle. Où irait-on si les jeunes filles se mêlaient d'avoir des idées à elles, sur le mariage et sur l'autorité des grand-mères ?

Mme de la Rouveraye, après s'être assurée que sa petite-fille n'était pas dans la maison, s'installa dans le hall, afin de la prendre au passage quand elle rentrerait. Yveline, qui ne s'en doutait pas, – et l'eût-elle pensé, qu'elle eût agi de même, – prolongea son absence, dont chaque minute exaspérait la colère froide de la grand-mère.

– Vous voilà ? dit la vieille dame d'une voix qui ne tremblait pas ; c'est ainsi que vous m'obéissez ? Allez dans votre chambre immédiatement ; je vais faire prévenir votre père !

À l'idée que Richard pouvait être excité contre elle, que sa conduite serait commentée et présentée sous un jour défavorable à toute sa famille, Yveline sentit son jeune sang lui monter à la tête.

– Prévenir mon père ? dit-elle sèchement ; pour qu'il vienne me donner le fouet, comme vous auriez voulu qu'on le fît à Edme quand il était petit ? N'en prenez pas la peine, grand-maman, je le préviendrai moi-même.

Le cliquetis des gourmettes et le bruit des roues annonçaient que

Jaffé quittait la Rouveraye.

– Jaffé, cria Yveline, attendez-moi ! je vais aux Pignons.

Elle bondit dans la cour avant que sa grand-mère eût pu dire un mot et grimpa dans la voiture légère. Jaffé avait, sinon compris, deviné. Il détestait Mme de la Rouveraye, et n'avait jamais reproché à Yveline qu'une chose : sa correction trop mondaine à ses yeux, et ce qu'il nommait un manque de caractère. La revanche était trop belle pour qu'il ne la saisît pas aux cheveux.

– Aux Pignons ? dit-il. Nous y serons bientôt. Tenez-vous bien, mademoiselle, la jument noire est un peu vive.

Le phaéton filait comme une flèche à travers la campagne dorée par l'automne ; Yveline, grisée d'air vif et de liberté, les cheveux envolés autour du visage, sous son léger chapeau de jardin, goûtait l'ivresse absolue d'une première escapade, et ne pensait plus à rien qu'à la surprise de sa grand-mère Brice quand elle la verrait apparaître. Ce fut Edme qui se présenta, le fusil sur l'épaule, le carnier vide, son chien exténué tirant la langue sur ses talons.

Jaffé s'arrêta net.

– Tu te promènes ? dit le jeune homme, négligeant tout préambule, dans sa surprise de voir Yveline à ce point décoiffée et juchée sur le haut équipage.

– Je m'enfuis ! répliqua-t-elle d'un air de triomphe. Allons, monte, nous allons aux Pignons.

– Et grand-maman ? fit Edme abasourdi.

– Elle est en colère, répondit Yveline ; allons, monte donc sur le siège de derrière ! Et ton chien, tu ne vas pas le laisser sur la route ?

Edme grimpa, prit par la peau du cou le pauvre animal qui ne s'attendait pas à pareille fête, s'installa tant bien que mal, et les chevaux reprirent leur allure rapide.

– Qu'y a-t-il ? demanda Edme.

Yveline voulut le lui expliquer en anglais, afin de n'être pas comprise de Jaffé, mais cette langue étrangère lui fit bientôt défaut.

– Parle français, va ! dit Edme. Jaffé sait bien des choses et n'en a jamais rien dit à personne. Jaffé, c'est mon ami.

Dans sa langue maternelle, Yveline donna sur son aventure des explications rudimentaires, qui rendirent Edme tout pensif.

– M. de Varcourt ? dit tout à coup Jaffé, un monsieur blond qui a, sauf votre respect, une peau tendre comme un petit cochon de lait ! Je comprendrais que mademoiselle en préférât un autre !

Le frère et la sœur éclatèrent de rire, rire un peu nerveux et inextinguible, comme il arrive à cet âge. C'est ainsi qu'ils entrèrent aux Pignons.

Odile et Mme Brice avaient vu le phaéton de leur fenêtre, sans pouvoir deviner quels étaient les hôtes qui leur arrivaient de la sorte ; elles vinrent sur le perron pour les recevoir, et leur surprise fut grande en voyant descendre Yveline, Edme et le chien, pendant que l'imperturbable Jaffé, après avoir soulevé son chapeau de cocher, prenait avec ses chevaux le chemin des écuries.

– Maman, dit Edme en poussant Yveline dans les bras d'Odile, je vous amène votre fille, que j'ai trouvée sur la route ; et vous, grand-maman, embrassez-la bien vite et venez avec moi.

Il entraîna Mme Brice d'un côté, pendant que Mme Richard, très émue, prenait doucement la taille d'Yveline pour l'emmener de l'autre.

– Viens dans ma chambre, dit la seconde mère, nous y serons mieux pour causer.

# XX

Dans cet asile aimable et sérieux, où tout parlait d'une vie bien employée, Yveline sentit tout à coup son cœur se desserrer. Sur la cheminée, sur les murs, partout, des photographies de son frère et d'elle-même, à tous les âges ; un beau portrait de son père, qui l'attira dès son entrée ; des livres, des ouvrages de femme ; un grand registre, fermé, sur le bureau, affirmait l'ordre de la ménagère... C'était une de ces chambres reposantes, où l'on sent qu'on aimerait à vivre et à mourir ; la mort, dans ce grand lit, au milieu de tous ces témoins d'une vie d'honneur et de travail, ne pouvait être que paisible et vénérable.

Emue, Yveline, après avoir tout embrassé d'un coup d'œil, tourna son regard vers Odile, et lut dans ses yeux une tendresse grave et profonde.

– On t'a fait de la peine ? dit la voix pleine et douce, et tu es venue chercher ton père ? Il sera ici ce soir ; mais si, à présent, je puis te consoler, ma chère fille...

– Ah ! s'écria Yveline vaincue, jetant ses bras autour du cou d'Odile, Edme avait bien raison de dire que vous étiez bonne !

Assises tout près l'une de l'autre sur un de ces petits canapés qui semblent avoir été faits pour échanger des confidences, elles causèrent longuement. Yveline raconta ses griefs, et Odile, sans approuver la forme de sa résistance, l'assura qu'elle n'avait fait qu'user de son droit en repoussant un mariage déplaisant. Mais sa rapide perception de femme l'avertit que la vivacité de cette répugnance n'était pas tout à fait naturelle, et voyant que la jeune fille n'ajoutait rien :

– Tu ne me dis pas tout, fit-elle ; comment se nomme-t-il, et qui est-il, celui qui te fait trouver l'autre si odieux ?

Le sourire était si tendre, si encourageant, qu'Yveline n'y put résister.

– Vous devinez donc tout ? dit-elle. Celui que j'aime est pauvre, instruit et bon... Je ne sais pas seulement s'il m'aime...

Son petit cœur se serra à l'idée qu'elle pouvait n'être pas aimée : elle sentait un immense besoin de gâteries, d'affection ; la frayeur qu'elle avait du mécontentement de son père la rendait encore plus craintive et plus douce. Elle jeta sur Odile un regard furtif d'enfant pris en faute, et avec une incroyable câlinerie d'intonation, elle lui donna son cœur pour ne plus le reprendre.

– Maman, dit-elle, dites à papa qu'il soit indulgent pour moi... j'ai bien, bien besoin qu'on m'aime !

Et elle fondit en larmes, cette fois délicieuses, car de vrais baisers de mère vinrent les essuyer, et elle comprit la douceur des caresses, ignorée jusque-là ; sa grand-mère, tout en l'aimant très sincèrement, ne la lui avait jamais fait connaître.

Edme entra bientôt avec Mme Brice, qui avait appris de sa bouche les événements de la matinée ; sans faire d'allusion au jeune secret d'Yveline, on se mit à conférer sur la conduite à tenir. La grand-mère était fort partagée dans ses sentiments ; la malicieuse rancune qu'elle portait à Mme de la Rouveraye l'engageait à se réjouir de sa déconvenue, pendant que l'autorité de l'aïeule blâmait fortement une conduite si peu convenable. Aussi fut-elle très réservée à l'égard de sa petite-fille, la regardant peu, de peur de ne pouvoir s'empêcher de rire, pendant que celle-ci racontait la scène finale de cette comédie, mais prenant un visage sévère lorsque Yveline se tournait de son côté.

– Enfin, dit-elle, lorsque, tout étant élucidé, on lui demanda son avis, ce que je vois de plus clair là-dedans, c'est qu'Yveline doit retourner le plus vite possible à la Rouveraye, et faire des excuses complètes.

– Oh ! grand-mère ! pas jusqu'à épouser !

– Pas jusqu'à épouser assurément, mais, à cela près, complètes, insista la douairière, en maintenant à grand-peine son sérieux. Et comme tu ne peux pas retourner seule, c'est moi qui te ramènerai.

Odile regarda sa belle-mère avec quelque surprise, cette proposition étant en complet désaccord avec ce qu'elle connaissait de ce caractère altier ; une lueur de malice saisie au passage dans les yeux vifs de Mme Brice lui révéla le mystère.

– Seulement, dit Odile avec un sourire dont elle ne put se défendre, ne prenez pas Jaffé pour cocher.

La grand-mère lui répondit par un regard si brillant, si plein de spirituelle raillerie, qu'Odile en fut toute remuée. Quelle jeunesse d'esprit et de cœur vivait encore sous ces cheveux blancs, dans cette âme passionnée ! Elle était plus jeune que son fils, fatigué, usé par les luttes intestines, et découragé dans son amour de père. La pensée qu'Yveline allait être enfin rendue aux siens raviva la joie dans le cœur d'Odile ; mais que de prudence il faudrait si l'on ne voulait pas tout perdre d'un seul coup ! Et si le jeune homme qui avait su plaire à cette enfant n'était pas digne de son choix, que de soucis, que de larmes ! Leur devoir de parents n'allait-il pas encore se trouver en conflit avec la tendresse filiale ? Et s'ils détachaient d'eux la jeune âme reconquise, n'était-il pas à craindre que ce fût pour jamais ?

– Ma fille, dit Mme Brice, interrompant le cours de ces pensées douloureuses, je vous laisse le soin de parler à mon fils de tout cela ; c'est vous qui incarnez la diplomatie dans notre famille ; moi, je gâterais tout...

Les deux enfants étaient sortis, elle ajouta avec finesse :

– Pour ma part, j'aurai Mme de la Rouveraye.

Le landau, conduit par un cocher fort noble, emmena bientôt la grand-mère et les deux enfants ; Yveline s'était recoiffée, Odile lui avait donné une paire de gants, et elle avait un extérieur presque tout à fait correct. Edme avait brossé sa tenue de chasse, et, sauf qu'il était extrêmement sérieux, étant fort ennuyé de son personnage, on ne se fût jamais douté de leur escapade. Sous les pieds du cocher était le chien avec le fusil, étonné de voir tant de pays en un seul jour.

On garda le silence pendant quelque temps dans le landau, puis Mme Brice, n'y pouvant tenir, s'adressa à sa petite-fille :

– Qu'est-ce qu'elle a répondu, ta grand-mère, quand tu lui as dit que tu allais aux Pignons ?

– Rien du tout, grand-mère ! fit Yveline plus mortifiée que jamais.

Le sourire malicieux voltigea sur les lèvres de Mme Brice ; mais elle le fit disparaître sur-le-champ.

– Tu sais, dit-elle, c'est extrêmement mal, ce que tu as fait là ! As-tu préparé tes excuses ?

Yveline n'avait rien préparé du tout. Mme Brice, lui expliquant ses torts par le menu, lui fit une éloquente homélie qui fut écoutée, avec toute la componction désirable, pendant que le landau, conduit pompeusement par deux gros chevaux au trot régulier, oscillait doucement sur ses ressorts patentés. Ce retour ne ressemblait en rien à la fuite du matin, et Yveline ne put s'empêcher de trouver que, dans toute sa correction mondaine, il était beaucoup moins amusant.

– Et toi, Edme, que vas-tu dire ? fit Mme Brice au moment où ils arrivaient. Elle ne l'eût avoué pour rien au monde, mais elle s'amusait prodigieusement en dedans d'elle-même.

– Je dirai la vérité, grand-mère : qu'ayant rencontré ma sœur sur la route, j'ai trouvé nécessaire de l'escorter, afin de sauver au moins les apparences. J'espère que grand-maman de la Rouveraye comprendra cela ?

– Oh ! murmura Mme Brice entre ses dents, du moment où tu évoques les apparences, tu es tout pardonné !

L'accueil de Mme de la Rouveraye fut très froid ; quoiqu'elle triomphât intérieurement de voir Mme Brice faire une démarche qui ressemblait beaucoup à des excuses, elle avait été réellement blessée, et n'était pas femme à l'oublier. Yveline, peu encouragée, exprima ses regrets dans une courte phrase où transparaissait quelque maussaderie ; malgré cela, sa grand-maman lui dit tranquillement :

– C'est bien, je vous pardonne.

Edme fut reçu à peu près de la même façon, et les enfants furent congédiés pour laisser aux deux dames la facilité de s'expliquer ensemble.

Que se dirent-elles en cette mémorable entrevue ? Le secret en fut bien gardé, car ni l'une ni l'autre n'en parlèrent jamais. Il est probable que Mme Brice évoqua le souvenir de la première femme de Richard, épousée sans amour, par raison de famille, de convenances, de tout enfin, sauf le libre choix des époux, qui seul est la base des unions heureuse. Dans son triomphe, peut-être fut-elle quelque peu sarcastique, car Mme de la Rouveraye, au sortir de cet entretien, avait le teint enflammé, comme une personne qui s'est fort animée ; quoi qu'il en soit, les deux grand-mères se séparèrent de la façon la plus aimable, si ce n'est la plus cordiale.

# XXI

La tâche d'Odile était extrêmement ardue. De ses ennuis relatifs à l'éducation d'Edme, Richard avait gardé une susceptibilité nerveuse à l'endroit de ses enfants. Depuis l'incident terrible qui avait failli amener la mort de son fils, il ne se laissait plus emporter à des paroles dures ou à des réprimandes amères, mais sa femme savait combien ce sujet lui tenait au cœur, et quelles pensées pénibles la moindre erreur d'Edme ou d'Yveline remuait en lui, autant dans le passé que dans le présent et l'avenir. Richard voyait toujours en lui-même le père privé de son autorité naturelle sur ses enfants : sans cesse il se reprochait les concessions qu'il avait dû faire jadis et qu'à présent, oubliant les difficultés passées, il considérait comme le résultat d'une coupable faiblesse, et, se reprochant tout ce qui en était découlé, il voyait en lui le seul auteur d'une situation dont en réalité il n'était que la victime.

C'est donc avec une sorte de terreur qu'Odile essaya le lendemain de raconter à son mari ce qui s'était passé, et de lui expliquer la métamorphose du cœur d'Yveline. Un autre danger se présentait encore : il avait trop tendrement aimé sa fille, la préférant à son fils lorsqu'elle était petite, pour ne pas avoir à souffrir en apprenant qu'un nouveau venu avait gagné d'emblée ce cœur, qui n'avait jamais été à lui.

On aura beau dire et répéter qu'il n'y a rien de commun entre l'amour des parents pour leurs enfants, et l'amour que peuvent éprouver ceux-ci pour l'être qui devra partager leur vie ; il n'en demeure pas moins acquis que la plus furieuse jalousie peut naître chez les pères et les mères au moment du mariage d'un fils ou d'une fille. C'est là ce qui a fait les légendaires dissensions entre gendres et belles-mères ; et bien que les hommes sachent mieux dissimuler ou régir leurs sentiments, nombre de pères se sont opposés au bonheur de leurs filles, parce qu'ils ne pouvaient supporter la pensée de voir un intrus prendre la première place dans ces jeunes âmes.

L'absence de vie commune, qui aurait pu favoriser Yveline, puisque l'élément de l'habitude, qui entre pour une si forte part dans toutes les actions, était ici hors de cause, se tournait au contraire contre elle ; le prompt mariage de la jeune fille achevait la scission commencée dès le berceau, en la donnant à un autre sans qu'elle eût jamais appartenu à son père.

Cependant, si ce mariage avait été simplement affaire de convenance ou d'amitié, Richard eût pu se sentir plus mélancolique que mécontent ; mais un mariage d'amour ravivait toute la jalousie latente, et un mariage romanesque, avec un inconnu !...

Odile, en examinant ainsi la question, se sentit prise de peur ; et, dès les premiers mots, Richard s'aperçut que les choses allaient beaucoup plus loin qu'elle n'avait eu l'intention de le lui faire savoir d'abord, se réservant de lui apprendre le tout par degrés. Malgré la diplomatie que lui attribuait Mme Brice, et qui consistait simplement en une grande douceur, mêlée à une inaltérable patience, Odile ne savait guère dissimuler, et l'interrogation directe de son mari la contraignait à la plus entière franchise.

– Qu'est-ce que cette sotte histoire ? dit Richard lorsqu'il connut le secret d'Yveline ; un amour romanesque ? Cela ne ressemble guère à ma fille ! Je la croyais beaucoup trop légère et superficielle pour se coiffer d'un jeune homme pauvre ! C'est du roman, cela, ma chère Odile, pas autre chose. Certes, je n'approuve pas Mme de la Rouveraye d'avoir machiné un mariage sans nous en parler ; mais vous me permettrez de ne pas prendre au sérieux cette ridicule équipée. La plus charitable supposition que l'on puisse faire, c'est que ce monsieur a besoin d'une dot pour s'établir, et que...

– Richard, fit doucement Odile, nous ne le connaissons pas ! ne pensez-vous point qu'avant de le condamner, il serait peut-être bon de le mieux connaître ?

– Tout ce qu'il vous plaira, ma chère ; mais je vous en supplie, n'encouragez point Yveline dans de telle idées. Vous êtes devenues amies bien vite, ce me semble ? D'où vient ce prompt revirement ?

Odile sentit tout son sang affluer à son pauvre cœur troublé. Il était là, le vrai danger, le piège tendu par un destin méchant à sa tendresse d'épouse ! Elle n'avait pas songé qu'inévitablement, avec son naturel jaloux, Richard serait mécontent de n'être pas le premier dans le cœur de sa fille, si jamais elle devait leur revenir. Il n'avait point pris alarme de l'affection d'Edme, parce que le petit garçon l'avait adoré jadis, et qu'il n'avait jamais envisagé la possibilité d'un changement, mettant jusqu'à sa tentative de suicide sur le compte d'une tendresse exaltée, irritée d'être méconnue ; mais pour Yveline, son joyau, le trésor de sa jeunesse, son enfant bien-aimée, c'était bien différent ; si elle devait aimer quelqu'un dans la maison paternelle, ce ne pouvait être que lui.

Odile comprit alors l'énormité de sa méprise. Mieux avisée, elle eût conduit Yveline à son père, laissant à celui-ci le plaisir de voir s'ouvrir le cœur de son enfant et d'en être la providence. Il était trop tard maintenant, il ne fallait plus songer qu'à tirer le meilleur parti possible d'une situation mauvaise.

– Mon ami, dit-elle, cette enfant est arrivée ici toute bouleversée ; vous n'étiez pas là... j'ai fait ce que vous auriez fait à ma place... et puis, un père, vous le savez, pour une jeune fille, c'est toujours plus effrayant qu'une... une femme.

Elle n'avait pas osé dire une mère, de peur d'exciter la jalousie redoutée. Elle avait bien fait, Richard se radoucit un peu.

– Nous verrons cela à loisir, dit-il ; mais je vous préviens, avant d'aller plus loin, que je considère cette belle histoire d'amour comme un conte bleu, et que je suis décidé d'avance à ne pas y accorder la moindre attention. Dans cinq ou six semaines, nous aurons Yveline avec nous, vous la mènerez dans le monde, et nous verrons bien si cet amour tient contre deux ou trois grands bals !

Odile soupira ; elle savait que son amour à elle avait bravé les épreuves ; mais tous les cœurs ne sont pas faits de même ; peut-être Yveline oublierait-elle son rêve de prime jeunesse...

Richard, devinant sa pensée, et honteux d'avoir laissé transparaître sa jalousie paternelle, attira tendrement sa femme à lui.

– Vous, ma chère Odile, dit-il, vous étiez faite d'une autre essence... L'éducation de Mme de la Rouveraye ne peut pas donner de bien brillants résultats... Si elle avait été dans vos mains dès l'enfance, c'eût été autre chose !...

Il soupira profondément, et, par une bizarrerie du cœur humain, il sentait sans s'en rendre compte qu'Odile, en élevant Yveline, ne lui eût donné aucune jalousie, mais seulement de la reconnaissance...

– La vie est triste, ma chère femme ! conclut-il en laissant aller la main qu'il venait de baiser.

Hélas ! Odile le savait bien !

Il fut convenu que, provisoirement, rien ne serait changé ; M. et

Mme Richard iraient le jeudi suivant à la Rouveraye, pour y rencontrer M. de Présances, qui, pensaient-ils, ne manquerait pas de s'y trouver ; on pourrait aussi voir son attitude, et s'assurer de son extérieur, tout au moins.

On attendrait aussi que Mme de la Rouveraye parlât elle-même de sa tentative matrimoniale, avant d'y faire allusion.

Ce fameux jeudi était attendu par Yveline avec d'incroyables battements de cœur ; elle éprouvait un véritable besoin de voir Georges, de rencontrer ses yeux, de s'assurer qu'ils étaient les mêmes, qu'elle n'avait pas rêvé...

À mesure que les heures écoulaient et que les visiteurs se succédaient, Yveline devenait plus nerveuse, quoique le beau Varcourt, averti par sa protectrice, se fût bien gardé de paraître ; Odile, qui observait la jeune fille du coin de l'œil, après un examen de tous les hommes présents, s'était assurée que l'élu ne s'y trouvait pas, lorsqu'un mouvement l'avertit de faire attention. Mme de Présances et Berthe venaient d'entrer, et Yveline avait couru au-devant d'elles, dans le premier salon.

– Comme vous venez tard ! dit-elle à la « chère cousine ». Et votre fils ?...

– Il ne viendra pas, répondit doucement la pauvre mère.

Elle avait voulu prendre une apparence indifférente ; mais lorsqu'elle sentit les yeux d'Yveline plonger dans les siens, elle ne put se contenir, et des larmes montèrent à ses cils.

– Il n'est pas malade ? demanda Yveline d'une voix altérée.

– Non, il est occupé.

Mais le regard disait clairement : « Il est malheureux, et vous ne le verrez plus jamais ! »

– Est-ce qu'il sera toujours occupé ? demanda Yveline avec un sourire qui voulait être agréable, mais qui tirait étrangement les traits de son visage.

– D'ici longtemps, je crains qu'il ne soit très pris, répondit Mme de Présances avec un grand effort. Il m'a chargé de l'excuser ; je ne crois pas qu'il soit libre avant votre départ pour Paris...

– Oh ! fit Yveline blessée dans son jeune amour, et doutant d'elle-même. Il a donc bien peu d'amitié pour nous qu'il ne peut nous sacrifier même dix minutes, le temps d'une visite...

Mme de Présances leva sur elle un regard qui disait tout : le chagrin de la mère affligée dans son enfant, la fierté craintive de la femme pauvre qui craint d'être méconnue, l'affection pleine d'admiration pour la jeune fille aimée de ce fils adoré... Et Yveline comprit que ce n'était point par indifférence que Georges avait voulu rester éloigné.

Un peu de souffrance et beaucoup d'orgueil firent monter à ses joues un carmin si vif qu'Odile s'en aperçut. Quittant sa place, elle s'approcha ; Yveline fit la présentation avec un aplomb surprenant, fruit de l'usage.

– Mme de Présances, Mlle Berthe de Présances, Mme Richard Brice, ma seconde mère.

Les femmes se saluèrent.

– Monsieur votre fils vous a accompagnée ? demanda Odile avec grâce.

– Mon fils est très occupé ; d'ici plusieurs semaines, il sera obligé de se consacrer entièrement à ses malades... il m'a priée de l'excuser... Mais, pardon, j'aperçois Mme de la Rouveraye...

Avec un léger salut, empreint de dignité, la parente pauvre passa dans la pièce voisine, laissant Odile pleine de respect pour tout ce qu'elle venait de deviner.

Yveline était restée consternée, et ses yeux interrogeaient Mme Richard avec inquiétude.

– Cela vaut mieux ainsi, ma mignonne, dit celle-ci avec une légère caresse de la main sur les beaux cheveux dorés, et elle la quitta.

Richard fut moins satisfait que sa femme de l'absence de Georges de Présances.

– C'est peut-être un stratagème pour se faire désirer, dit-il.

– Oh ! mon ami, vous voyez par trop le côté noir des choses ! dit Odile, secrètement attristée.

– C'est que je connais la vie ! répondit-il.

Cependant, lorsqu'il vit l'absence de Georges se prolonger, il fut forcé de convenir qu'un homme désintéressé n'eût pas agi autrement ; il ne s'en inquiétait guère, d'ailleurs, convaincu que sa fille n'y pensait plus ou n'y penserait bientôt plus. Odile n'était point si tranquille. Elle attendait avec une impatience un peu fiévreuse la fin des vacances, qui lui semblaient éternelles.

Mme de la Rouveraye n'avait plus fait la moindre allusion à son protégé ni à aucun mariage ; elle avait été si complètement vaincue sur ce terrain par sa petite-fille, que la lutte était d'ailleurs impossible. Il y avait encore en elle autre chose que le dépit, compagnon ordinaire d'un échec : il y avait un chagrin très réel, celui de s'apercevoir qu'après dix-huit années de soins, elle n'avait pas su s'assurer le cœur d'Yveline, pas plus qu'elle n'avait su pénétrer ce jeune caractère.

Les événements actuels lui avaient révélé une Yveline inconnue, toute différente de l'aimable jeune fille qu'elle avait cru pétrir et modeler suivant ses désirs.

Parfois, elle était tentée de l'accuser de duplicité ; puis, en réfléchissant mieux, elle comprenait que le caractère réel, étouffé sous un voile de convenances extérieures, n'avait jamais eu l'occasion de se manifester. Ceci lui donnait pour l'avenir les plus vives inquiétudes, car Mme de la Rouveraye n'était pas loin de considérer toute originalité comme une difformité. Instruite et intelligente elle-même, elle ne voyait pas la nécessité pour les autres d'une instruction et d'une intelligence plus que moyennes, – et sa moyenne n'était pas élevée. Avec de telles idées, le développement d'une personnalité était de tout au monde ce qui devait l'effrayer le plus dans sa petite fille.

Elles vivaient désormais côte à côte, sans se parler autrement que pour les choses de la vie courante, et certainement sans se comprendre, la grand-mère ayant peur de ce qui se passait dans l'âme de l'enfant, et celle-ci blessée qu'on eût voulu disposer si légèrement de sa vie.

Cette situation douloureuse offrit au moins un grand avantage : la séparation, tant redoutée de Mme de la Rouveraye, fut presque une délivrance ; de fait, la séparation était consommée depuis la fuite d'Yveline aux Pignons.

Quand on a tendrement aimé un être, l'eût-on d'ailleurs mal aimé, et que cet être vous échappe, non seulement on n'éprouve plus aucun bien de sa présence, mais cette présence jadis si chère vous devient bientôt une gêne ; c'est cette gêne que ressentait la grand-mère. Quant à Yveline, elle ne pouvait pardonner ni le tort de Mme de la Rouveraye, ni le sien propre ; il faut une certaine grandeur d'âme pour n'être pas mal à l'aise près de quelqu'un qu'on a offensé ; cette grandeur, Yveline devait l'obtenir plus tard, elle ne l'avait pas encore.

# XXII

En novembre, toute la famille devait rentrer à Paris ; Mme de la Rouveraye prétexta un rhume pour s'abstenir de ce voyage, préférant remettre sa petite-fille aux mains des parents dans la tranquillité des Pignons. La veille du jour où Yveline devait quitter la maison, elle demanda à faire quelques visites chez des compagnes d'enfance, habitant les environs. Mme de la Rouveraye y consentit volontiers, et lui donna pour compagnie son ancienne nourrice, qui devait l'accompagner à Paris en qualité de femme de chambre. Cette femme, beaucoup plus dévouée à la grand-mère qu'à la jeune fille, serait le lien qui, dans la pensée de l'aïeule, rattacherait Yveline à son ancienne demeure.

Une demi-douzaine de visites furent faites de la façon la plus banale, sans amener autre chose que la dépense d'une après-midi d'automne. Mais, au moment de reprendre le chemin de la Rouveraye, Yveline dit au cocher :

– Allez à la Maisonnette, chez Mme de Présances.

– Mais, fit la nourrice, ce n'est pas sur notre liste.

– Grand-mère n'y aura pas pensé, répondit la jeune fille avec assurance ; je ne peux pas partir sans avoir embrassé ma cousine Berthe, et puis, c'est sur la route.

Il n'y avait rien à répondre à cela, et la nourrice ne fit plus d'objections.

Lorsque le coupé s'arrêta à la Maisonnette, Yveline descendit, en disant à son escorte :

– Inutile que tu m'accompagnes, je ne fais qu'entrer et sortir.

Tranquille, le chaperon s'accota dans l'angle de la voiture, les pieds sur la bouillotte. Mlle Brice entra dans la maison.

Berthe et sa mère travaillaient à la lumière d'une petite lampe. Il était bien simple, bien pauvre, ce petit intérieur où Yveline avait rêvé de se voir assise ; elle en eut le cœur serré, non pour elle, mais pour les hôtes de cette demeure.

On ne la reconnut pas d'abord, la paysanne qui lui avait ouvert ignorant absolument qu'on annonce les gens dans les maisons convenables. Mais lorsque sa haute stature et son joli visage furent plus près de la lampe, Berthe poussa un cri.

– Yveline Brice ! s'écria-t-elle. Comment, c'est vous ?

À ce cri, la porte de la pièce voisine s'était ouverte, Georges parut sur le seuil.

Il la reconnut tout de suite, lui ! Il ne l'avait jamais vue que nu-tête, en robe légère ; mais la toque de plumes et la jaquette fourrée ne la transfiguraient pas à ses yeux !

Pendant que les deux femmes revenues de leur surprise offraient une chaise à la nouvelle venue, il la regardait, se demandant s'il devait rentrer dans son cabinet de travail avant qu'elle l'eût aperçu, ou bien s'il pouvait jouir de la joie inattendue que le ciel lui envoyait. Pas un instant il ne songea qu'elle fût venue pour lui, et pourtant, Dieu sait que ce n'était pas pour autre chose !

Pendant qu'il hésitait, elle leva les yeux et le vit. Aussitôt, elle se leva et vint à lui.

– Monsieur Georges, dit-elle d'une voix dont le timbre clair venait de se voiler, il y a longtemps que nous nous sommes vus... J'espère que ce n'est pas ma faute.

Elle lui tendait la main, il la prit, et soudain la pressa plus fort qu'il ne le voulait. Le teint rosé, avivé par le froid et l'émotion, blêmit tout à coup, et elle fit un léger mouvement, il laissa tomber sur-le-champ la main qu'il avait serrée.

– J'avais beaucoup à faire, mademoiselle, dit-il d'un ton froid.

Mme de Présances les regardait, effrayée de ce qu'ils pourraient se dire, écrasée sous le poids de la responsabilité qui lui tombait sur les épaules, et n'osant prononcer une parole.

Yveline avait repris son calme apparent.

– Je suis venue, dit-elle, prendre congé de ma chère cousine et de Berthe : demain, je pars pour Paris avec mes parents... Je voulais leur dire adieu... car je serai longtemps absente.

– Jusqu'à l'été prochain ? demanda Mme de Présances.

Yveline fit un geste indifférent.

– Qui sait ? Bien plus longtemps peut-être !...

Un silence glacial suivit. Malgré son empire sur elle-même, la jeune fille sentait son courage l'abandonner. Faudrait-il s'en aller sans rien savoir ?... C'était alors renoncer à son rêve, se briser volontairement le cœur... Et s'il l'aimait pourtant ? Une idée lui vint :

– Savez-vous, Berthe, que j'ai une grande amie, depuis peu ?

– Vraiment ? qui est-ce ?

– Ma belle-mère, – ma seconde mère, veux-je dire. Je ne la connaissais pas... elle est aussi bonne qu'elle est belle, et j'ai en elle quelqu'un sur qui je puis compter ; elle m'aidera dans tout ce qui pourra assurer mon bonheur. Vous n'avez pas l'air de le croire, monsieur ?

– J'en suis pourtant convaincu, mademoiselle ; et comme tous ceux qui vous portent intérêt, je m'en réjouis pour vous.

– Vous la connaissez ?

– Je n'ai pas cet honneur.

– Je l'ai vue, se hâta d'ajouter Mme de Présances : elle m'a paru bien charmante.

– Vous devriez la connaître, monsieur, vous y auriez plaisir, je vous assure...

Georges s'inclina.

– Je serai heureux de me faire présenter à Mme Richard Brice, si les circonstances le permettent, dit-il ; mais sa vie et la nôtre sont tellement séparées...

– Pas tant ! mon père aura besoin de vous... comme député...

– Ma sympathie lui est acquise de longue date, répliqua le jeune médecin.

Yveline se tourna vers Berthe.

– Vous viendrez nous voir à Paris ? dit-elle.

– Hélas ! quand irons-nous à Paris ? Jamais peut-être ! cela coûte si cher ! Et qu'y ferions-nous ?

La tête tournait à Yveline, et son cœur lui faisait horriblement mal. Quoi ! on repoussait d'elle, dans cette maison, tout, l'influence, la main tendue ! Faudrait-il s'en aller sans emporter même un brin d'espérance ? Son cœur brisé monta à ses lèvres, et elle ne put contenir un sanglot.

– Vous ne voulez rien de moi, alors, dit-elle à la « chère cousine », ni l'amitié de ma seconde mère ni la mienne... C'est donc adieu pour toujours qu'il faut vous dire ? Et moi, je vous aimais...

Berthe et sa mère la prirent dans leurs bras, la caressant, la rassurant. Mais ce n'était pas là ce qu'elle voulait. Elle essuya rapidement ses yeux et reprit sa fierté.

– Alors, dit-elle, au revoir, ici ou ailleurs, ou dans l'autre vie... Vous croyez à l'autre vie, monsieur ?

– Il faudrait y croire, mademoiselle, répondit Georges témoin muet de cette scène et devenu très pâle, car elle nous donnera peut-être tous les biens qui nous échappent en celle-ci !

Sa voix tremblait ; vainement il détournait les yeux, son regard revenait à Yveline malgré lui : la voix de sa conscience lui disait : « Mais va-t'en donc ! » Et ses pieds ne pouvaient se détacher du sol. Elle le regarda bien en face, leurs yeux se rencontrèrent et leurs âmes se nouèrent d'un impérissable lien.

– Ah ! fit-elle avec triomphe, répondant à sa propre pensée autant qu'aux paroles de Georges, je le pensais bien ! Alors, monsieur, au revoir, en ce monde ! je vous le jure !

Elle s'avança vers lui, d'un pas souple, lui donna sa main, et comme il hésitait, éperdu, la leva d'elle-même jusqu'aux lèvres du jeune homme. Il l'effleura à peine, mais ce contact léger lui rendit le sentiment de la réalité, et il s'enfuit dans sa chambre, dont il ferma la porte derrière lui.

– Qu'avez-vous fait, Yveline ! dit Mme de Présances à voix basse. Il va se considérer comme déshonoré !

– C'est donc vrai, qu'il m'aime ? fit Yveline en souriant à travers ses larmes : vous le saviez et vous me l'avez caché ? Méchante ! Dites-lui qu'il ne craigne rien, ni lui-même, ni les autres... ni moi ! ajouta-t-elle avec un joli rire mouillé. Dites-lui que je suis très brave, que ma mère Odile est très bonne, et que je serai... sa femme, oui, sa femme, s'il plaît à Dieu ! pourvu seulement qu'il m'aime assez...

– Ah ! Dieu ! soupira Mme de Présances, je crains que ce jour ne nous cause à tous bien des peines ! Mais je veux vous embrasser, mon enfant, pour votre cœur qui ne redoute pas la pauvreté... Et maintenant, partez !

– Vous lui direz tout ? répéta Yveline en se laissant entraîner vers la porte. Vous dites non, mais je vois dans vos yeux que vous le ferez. Au revoir, Berthe... au revoir...

Elle n'acheva point, car elle se trouvait sur le perron.

Une joie folle bondissait dans son âme, comme les grelots d'un carnaval de fées ; elle aurait voulu courir sur-le-champ à Odile, lui raconter tout, et laisser déborder sa joie nouvelle comme on laisse couler l'eau d'une source en gouttelettes claires à travers les doigts fermés.

Il fallait attendre ; elle passa une nuit sans sommeil, pleine d'ivresse et de projets, pendant que Georges, ébloui, bourrelé de remords, s'accablait de reproches et se trouvait en même temps le plus heureux comme le plus malheureux des hommes.

Le lendemain, Yveline quitta la Rouveraye. Au dernier moment, la tendresse nouvellement éclose en elle lui inspira un élan d'affection vers sa grand-mère. En la voyant si émue, malgré la peine qu'elle prenait pour se contenir, elle se rappela que ces yeux pleins de larmes l'avaient contemplée bien des fois dans son berceau, que ces lèvres tremblantes lui avaient donné les baisers d'une mère...

– Grand-maman, dit-elle en se jetant à son cou, ne croyez pas que rien me fasse oublier votre amitié ! Je ne suis pas une ingrate, grand-maman ; j'ai un drôle de caractère et je ne suis pas toujours commode... Il faut me le pardonner, n'est-ce pas, grand-maman, je vous en prie ?

Quand elles eurent pleuré ensemble, la paix fut faite ; Mme de la Rouveraye suivit des yeux la voiture jusqu'au bout de l'avenue, puis rentra dans son salon, tout étonnée de sentir, au bout du compte, si peu douloureusement un départ qu'elle avait jadis redouté à l'égal du martyre.

# XXIII

Les semaines s'écoulèrent sans qu'Yveline entendit parler des habitants de la Maisonnette autrement que par une courte lettre de Berthe au jour de l'an, où elle ne nommait pas son frère, mais où elle annonçait son prochain mariage avec un petit propriétaire des environs. Yveline, après son grand coup de tête, avait espéré mieux. Dans son inquiétude, elle alla un soir trouver Odile dans son petit salon. Richard était absent ; Edme, après quelques jours de congé, était retourné à Saumur : elles étaient bien sûres de n'être pas dérangées.

– Maman, dit Yveline en s'asseyant sur un tabouret aux pieds de sa seconde mère, avez-vous dit quelque chose de nouveau à mon père, au sujet de ce que vous savez ?

– Non, répondit Odile, depuis le premier jour, où son accueil, tu le sais, n'a pas été favorable. Tu y penses toujours ?

– Toujours ? Sachez, ma mère chérie, que je n'ai jamais pensé à autre chose. Mon père est bien bon pour moi, mais je sens, au fond, qu'il n'est pas content... C'est parce que je ne puis pas aller mettre mes bras autour de son cou, en lui disant tout ce que j'ai sur le cœur. Ce n'est pas ma faute, dites, mère Odile, il ne m'a pas encouragée...

– Mérites-tu d'être encouragée ? répondit Odile avec un demi-sourire.

– Oui, ma mère Odile, parce que j'ai beaucoup de persévérance. Et maintenant, écoutez le récit que j'ai à vous faire.

Elle lui raconta très exactement la scène qui s'était passée à la Maisonnette.

– Pourquoi ne m'en avais-tu point parlé, alors ? demanda Odile.

– Parce que je pensais qu'il... que M. de Présances ferait quelque chose pour se rapprocher de moi... et il n'a rien fait, – ce qui m'inquiète.

– Tu es sûre qu'il t'aime ? insista Odile.

– Sa mère me l'a dit ! c'est-à-dire... je le lui ai extorqué ! fit Yveline triomphante.

– Eh bien ! attends ; je verrai ; surtout pas d'imprudences ! Je ne veux pas te gronder pour le passé, quoique... enfin ! ce jeune homme a fait preuve de beaucoup de délicatesse...

– N'est-ce pas ? fit naïvement Yveline, dont les yeux brillèrent d'orgueil.

– ... Mais ne recommence pas !

– Non, maman : je ne ferai rien sans vous consulter.

Le lendemain, comme Odile s'apprêtait à aborder avec son mari cette importante matière, il lui dit :

– N'est-ce pas de Présances que s'appelle ce jeune homme dont vous m'aviez parlé au sujet d'Yveline ?

– Oui, répondit Odile inquiète.

– On m'a demandé aujourd'hui, comme député, si je connaissais M. de Présances, et si je pouvais donner des renseignements sur lui... Il a, paraît-il, demandé à être envoyé comme médecin civil au Tonkin, ou dans quelque autre colonie lointaine.

– Et sa mère ? demanda-t-elle le cœur serré.

– Sa sœur, paraît-il, se marie à un brave homme, qui se charge de Mme de Présances...

– Et lui, s'en va dans un pays malsain... Ce jeune homme a vraiment du cœur, Richard.

Dans un grand élan de son âme généreuse, Odile raconta à son mari l'entrevue dont Yveline lui avait fait confidence. Le père fronça le sourcil au récit de cette visite, mais il ne proféra aucune parole de blâme.

– Voyez, dit Odile encouragée, de quelle délicatesse, de quelle fierté Présances a fait preuve ! On ne peut pas dire cette fois qu'il ait tendu un piège à notre bonne foi ! Sa demande, Richard ! mais c'est l'équivalent d'une condamnation à mort ; il veut mourir utilement, au lieu de se tuer d'une façon bruyante et scandaleuse.

– On ne meurt pas toujours, et parfois on oublie, dit Brice.

– Oh ! mon cher mari, ne soyez pas cruel ! Comprenez qu'il aime noblement et sans espoir, – et qu'elle, elle l'aime aussi. – Je ne dis pas qu'il faille les marier tout de suite ; mais ne pouvez-vous pas trouver à Paris, pour ce jeune homme, une place qui lui permettrait de faire montre de ses aptitudes ? Vous auriez mille moyens de le surveiller, de l'apprécier, et, s'il réussissait, plus tard, pourquoi pas ?

– Vous êtes pour les longues fiançailles, Odile ? demanda Richard en souriant.

– Je sais ce que c'est qu'une longue patience, répondit-elle en rougissant, et je sais que le bonheur, lorsqu'il vient ainsi, semble meilleur...

Le souvenir de ses années d'épreuve, de son amour courageusement refoulé, de toute une époque disparue, mais dont l'influence s'était maintenue, avait fait monter aux joues d'Odile toute la fraîcheur et tout l'éclat de sa première jeunesse. Une vie pure, une conscience sans tache donnaient à son front et à ses yeux une incomparable sérénité. Ébloui, Richard la regarda ; à quarante ans, Odile était aussi belle qu'à trente, et son âme ennoblie encore, et purifiée par le feu de la douleur, était meilleure qu'aux jours triomphants d'autrefois.

– Vous le croyez, dit-il, et je le crois avec vous. Soit, ma chère femme, il en sera ce que vous désirez ; mais n'en parlez point à ma fille. Si elle aime véritablement, l'attente sans espoir ne changera rien à ses sentiments, et si elle doit oublier, mieux vaut pour celui qui l'aime qu'elle l'oublie... Il aura du moins trouvé une situation en rapport avec ses facultés, qu'on dit remarquables, et il pourra fournir une belle carrière... pour se consoler.

– Quoi ! dit Odile, je ne puis rien dire ? La pauvre enfant !

– Dites-lui, si vous voulez, que M. de Présances doit obtenir une place à Paris, mais rien de plus. Quant à lui-même, il comprendra, je l'espère, qu'en l'appelant à Paris au lieu de l'envoyer au Tonkin comme il le demande, je ne cherche pas à le décourager.

Odile n'avait désobéi à son mari qu'une fois dans sa vie, et c'était au sujet d'Edme ; elle n'était nullement tentée de recommencer ; mais il y a bien des manières de donner de l'espoir à une enfant aimée sans prononcer de paroles. Yveline ne sut rien de positif, mais elle avait confiance en sa seconde mère, et elle ne ressentit pas un instant d'hésitation. Très fêtée pendant cet hiver, en raison de sa beauté, de sa fortune et de la situation de son père, elle ne se laissa séduire par aucune flatteuse apparence, et son âme resta fidèlement attachée à celui qu'elle avait aimé pauvre médecin de campagne.

Après un été passé à la Rouveraye, lorsqu'elle rentra à Paris, elle avait le cœur un peu serré. Un an tout entier sans voir Georges, c'était bien long ! Odile avait intercédé pour elle à plusieurs reprises, mais Richard s'était montré inflexible. Il avait décidé que l'épreuve serait au moins d'une année, et le jeune homme n'avait pris ses nouvelles fonctions qu'au commencement de mars. Une visite à Berthe, mariée, et contente de son sort, n'avait rien appris à Yveline de plus que ce que lui disait Odile, car la présence du mari avait mis obstacle à tout épanchement.

L'hiver recommença donc, avec sa routine de fêtes et de dîners. Yveline insensiblement y prenait moins de plaisir ; elle avait commencé par s'amuser très franchement, puis ce qu'il y a de creux dans ce genre de vie lui était apparu, et quoiqu'elle aidât Odile dans ses devoirs de représentation, ce n'était plus avec la vivacité qu'elle y avait d'abord apportée.

Richard observait sa fille très soigneusement. En causant avec elle, en l'emmenant parfois avec lui faire une promenade, il avait appris à pénétrer ce jeune esprit à la fois très simple dans son essence, et très compliqué par son éducation ; il était venu à bout de comprendre le mystère par lequel cette jeune personne si correcte avait pu s'enfuir aux Pignons et ensuite effectuer à la Maisonnette cette visite tellement en dehors des convenances qu'il en était encore tout ébahi.

Quand il eut compris sa fille, il l'aima. Il l'aima comme il l'avait aimée toute petite, non pour sa grâce et sa beauté, mais parce qu'elle était à lui et qu'elle lui ressemblait prodigieusement. Il se retrouvait en elle à chaque mouvement, avec le mélancolique plaisir qu'on éprouve à relire le livre qui a été la joie de votre jeunesse.

Une seule chose lui manquait : l'affection d'Yveline, très réelle, très profonde, était encore pour lui entourée d'un voile ; elle en écartait parfois les plis, mais ne le dépouillait jamais tout entier. Il sentait que quelque chose, respect ou crainte, peut-être un peu de méfiance, arrêtait les élans de ce jeune cœur. Il voulut se l'attacher pour jamais, et, de peur d'être trahi par Odile, il en garda jalousement le secret.

Un soir de mars, Odile donnant un dîner, Richard la prévint qu'il aurait un nouveau convive, dont il ne dit point le nom. Lorsque Yveline et sa seconde mère furent seules dans le salon, prêtes à recevoir leurs hôtes, il entra et leur présenta Georges de Présances.

C'était une épreuve redoutable, mais Yveline était forte. D'un coup d'œil elle comprit ; au lieu de se tourner vers Georges, qui attendait son regard, elle se jeta au cou de son père, qui la reçut sur son cœur.

– Cela te fait donc plaisir ? lui dit-il, tout ému de cette façon délicate et naïve de lui témoigner sa joie.

– Mon père, je vous adore ! dit-elle d'une voix contenue. Sans lever les yeux sur son fiancé, elle porta à ses lèvres la main de son père et la baisa longuement.

Les autres invités en arrivant empêchèrent la continuation de cette scène de famille, ainsi que Richard l'avait prévu. La soirée s'acheva sans que les jeunes gens eussent pu échanger autre chose que des paroles banales, mais ils se séparèrent ivres de joie, sûrs de se revoir bientôt.

Quand Richard et sa femme se trouvèrent seuls avec Yveline, celle-ci revint doucement vers son père, et se glissant contre lui, prit une main qu'elle posa sur sa tête, comme pour lui demander de la bénir.

– Mon père aimé, dit-elle, je m'accuse d'avoir cru à votre sévérité ; vous êtes seulement le plus juste et le plus sage des pères ; pardonnez-moi, car je vous bénis et vous remercie.

Richard enveloppa de ses bras l'enfant reconquise, et sentit que cette fois elle lui appartenait pour jamais. Odile les regardait avec une joie muette dont rien ne peut donner une idée. Par dix-huit années d'efforts constants, elle avait réussi à rendre au père tout ce qui lui avait été enlevé. Quelle récompense, pour cette âme généreuse !

Après avoir savouré sa première ivresse, Richard se tourna vers sa femme en tenant sa fille toujours embrassée.

– C'est à celle-ci, dit-il en désignant Odile, que toi et moi, ma fille, et ton frère Edme devons tout notre bonheur ; à tes heures de joie, envoie-lui le meilleur de ta pensée, car elle a reconstitué notre famille.

Le mariage eut lieu aux beaux jours du printemps, dans la vieille maison des Pignons, qui riait par toutes ses fenêtres, grandes ouvertes au soleil.

Sous la neige des cerisiers, la fiancée toute blanche, au bras de son père, traversa à pied le grand verger qui séparait le château de l'église ; la joie de mai semblait lui sourire à travers les herbes et les branches.

Edme très grave la suivait, se remémorant leur histoire, depuis le jour où, tout petit garçon, il avait essuyé sur sa joue le baiser d'Odile, jusqu'à cette heureuse matinée où sa charmante sœur prenait un travailleur pour compagnon de route.

Une fenêtre attira ses yeux : c'était celle où Odile avait salué le jour naissant, après la nuit où il avait si terriblement lutté entre la vie et la mort.

— Toujours fidèle, et toujours veillant, voilà sa devise, à notre seconde mère... Heureux ceux qui auront vécu à l'ombre de ses ailes !

Mme de la Rouveraye s'était consolée du mariage d'Yveline, qualifié d'abord par elle de sotte équipée, en pensant que c'était chez elle que les époux s'étaient rencontrés, et qu'ainsi sa dignité se trouvait sauvée : d'ailleurs, depuis le mariage de Berthe de Présances avec un « vigneron », elle ne s'étonnait plus de rien.

Quand les jeunes époux furent partis pour leur voyage de noce, Richard prit sa femme sous le bras et l'emmena sur le perron du jardin, à l'endroit même où elle s'était jadis senti envahir par tant de terreurs. La gloire du soleil encore loin de son déclin leur faisait une auréole.

— Ma chère âme, dit Richard, à présent je me sens heureux et affermi pour le reste de ma vie. Notre vieillesse sera longue, je l'espère, et belle, j'en suis sûr. Et nous aurons des petits-enfants, qui feront revivre devant nous nos jeunes années. Avez-vous peur de vieillir, ma chère femme ?

— Avec vous, mon mari, je n'ai peur de rien, répondit la vaillante.

Edme parut au bout d'une allée, accompagné de Jaffé, usé, presque cassé, mais toujours philosophe.

— Voyez-vous, monsieur Edme, dit le vieux domestique, il n'y a encore rien de tel qu'une bonne femme pour faire le bonheur d'un brave homme. C'est pour ça que je ne me suis pas marié ; – de regarder les autres, ça m'en avait dégoûté. Mais votre père a eu de la chance, car des femmes comme Mme Richard, on n'en trouve pas une dans un million...

– Tu parles d'or, Jaffé ! répondit Edme en regardant sa seconde mère.

*Les Bouleaux, juin 1888.*